KTA

KB160757

한국형 응급환자 분류도구

– 제공자 교육 매뉴얼

저자

박정수 (충남대학교병원 응급의학과)

강창신 (충남대학교병원 응급의학과)

박준범 (순천향대학교 서울병원 응급의학과)

서준석 (동국대학교 일산병원 응급의학과)

제상모 (필라델피아 어린이병원 소아중환자의학과)

김상일 (순천향대학교 서울병원 응급의학과)

조영석 (한림대학교 강동성심병원 응급의학과)

정혜진 (순천향대학교 서울병원 응급의학과)

서문

한국형 응급환자 분류 도구(KTAS)는 응급실 내원 환자들의 중증도 및 긴급도를 분류하여 적절한 의료서비스 제공을 가능하게 했고, 2015년 메르스와 2020년 COVID-19 바이러스에 의한 감염 유행시에도 환자 혹은 의료진 간 감염 확산을 방지하는 데 기여하였습니다. 앞으로도 정확하고 신뢰할 수 있는 응급환자 분류의 중요성이 더욱 강조될 것이며 이를 위해 전문가 양성을 위한 양질의 교육이 필요할 것입니다.

KTAS는 의학적인 관점뿐만 아니라 아동 혹은 노인 학대 등과 같은 사회 문제까지 포함된 종합적인 관점에서 분류하여 각 환자에게 최상의 의료 서비스를 제공하는 것을 목표로 하고 있습니다. 이를 위해 KTAS는 분류담당자가 다루기 쉬운 형식으로, 의료 현실을 최대한 반영할 수 있도록 지속해서 개정되어야 합니다. 또한 그에 따른 분류담당자 양성 교육자료 개정도 필요합니다. 2012년도에 KTAS가 개발되고 2016년부터 전국의 응급의료기관에 적용되면서 분류담당자들에게 많은 경험이 축적되었고 워크샵이나 웹사이트를 통한 질의/응답, 그리고 캐나다의 CTAS 개정내용 및 관련 학술연구 자료 등을 반영하여 2021년 새로운 KTAS와 교육자료를 개발하게 되었습니다.

현재 대한응급의학회에서는 보건복지부로부터 권한을 위임받아 본 학회 산하에 KTAS 위원회를 구성하고 병원 단계 및 병원 전 단계를 포괄하는 KTAS 교육과 질 관리를 담당하고 있습니다. 이 책을 이용한 KTAS 교육으로 분류담당자들의 전문성이 향상되어, 환자에게 적절한 의료서비스를 제공하고 효율적인 응급의료체계의 기초를 다지는 계기가 되기를 바랍니다.

대한응급의학회 KTAS 위원회

목차

목차

약어

이 매뉴얼에서 사용된 줄임말은 아래와 같다.

줄임말	풀어쓴 말
ACLS	Advanced Cardiac life Support
BP	Blood Pressure
CAEP	Canadian Association of Emergency Physicians
CIAMPEDS	Complaint, immunization/Isolation, Allergies, Parents Perception/Past History, Events, Diet/Diapers, Symptoms
COPD	Chronic Obstructive Pulmonary Disease
CPS	Canadian Paediatric Society
KTAS	Korean Triage and Acuity Scale
ED	Emergency Department
EMS	Emergency medical services
ENT	Ear, Nose, Throat
FEV1	Forced Expiratory Volume in 1s
FRI	Febrile Respiratory Illness
GCS	Glasgow Coma Scale
ICD	International Classification of Diseases
ILI	Influenza Like Illness
MOI	Mechanism of Injury
NEDIS	National Emergency Department Information System
NWG	National Working Group
OB/GYN	Obstetrics/Gynaecology
O2 Sat	Oxygen Saturation
PALS	Paediatric Advanced Life Support
PEFR	Peak Expiratory Flow Rate
RR	Respiratory Rate

한국형 응급환자 분류도구(**KTAS**)란?

응급의료체계는 "응급 환자를 적절한 시간 내에 최적의 병원으로" 이송하여 치료를 받을 수 있도록 하는 목표를 가지고 있다. 전세계적으로 응급환자는 지속적으로 증가하고 있으며, 이로 인한 응급실 과밀화의 문제는 응급의료와 응급의학의 중요한 현안이다. 대한응급의학회는 이와 같은 문제를 해결하고자 병원 단계와 병원 전 단계에서 사용 가능한 환자 분류도구를 개발, 적용함으로써 응급 환자를 적절한 시간 내에 최적의 병원으로 이송하는 응급의료체계의 목표를 성취하고자 하였다.

대한응급의학회는 2012년 한국형 응급환자 분류도구(KTAS)를 개발했다. 이를 통해, 환자 이송의 효율성을 높이고 의학적인 근거를 제공함과 동시에, 환자 상태를 평가하여 진료의 우선순위를 결정하고 잠재적인 응급환자를 조기에 선별할 수 있게 되었다. 현재 전국 응급의료센터에서 KTAS를 통해 환자 분류를 시행하고 있으며 지역응급의료기관까지 확대될 예정이다.

그러나 KTAS의 궁극적인 목적은 병원 단계에서 환자 분류의 질을 높여 환자 안전을 제고하는 것에만 한정되지 않는다. 궁극적으로는 병원 단계와 병원 전 단계의 응급 환자 분류 결과를 연동하여 적절한 이송을 위한 효율적인 응급의료체계를 구축하는 것에 있다. 또한, 이러한 분류 결과는 지역별 의료환경을 고려한 최적의 환자 이송 병원 결정 시스템을 만들기 위한 기초 자료로 활용될 수 있을 것이다.

KTAS를 통해 병원에서는 환자의 중증도와 긴급도를 동시에 평가하여 진료의 우선순위를 결정하고 잠재된 중증 응급질환의 가능성을 평가할 수 있게 되었다. 그리고, 향후 병원 전 단계에서부터 KTAS를 응급환자 분류에 활용한다면 환자를 가장 적절한 병원으로 이송하여 보다 안전한 진료를 제공할 수 있게 될 것이다.

교육 과정 개요

0.1   교육 목표

이 과정을 마치면 다음의 목표를 수행할 수 있다.

1) 응급환자 분류의 역사를 이해하고 역할을 설명할 수 있다.

2) 응급환자 분류담당자의 특성을 이해하고 갖추어야 할 기술을 적용할 수 있다.

3) 응급환자 분류 평가 과정을 이해하고 이를 활용해서 응급환자를 분류할 수 있다.

4) KTAS에 근거하여 환자의 우선 순위를 정할 수 있다.

5) 응급실에서의 환자 진료 흐름과 의료진 간의 의사소통을 이해하고 설명할 수 있다.

0.2   교육 구성

KTAS 교육 과정은 다양한 응급도 분류 주제를 다루기 위해 4개의 모듈로 구성되어 있다.

모듈 1: 응급환자 분류의 기초

모듈 2: 성인에서 KTAS 적용

모듈 3: 소아에서 KTAS 적용

모듈 4: 특수한 상황에서 KTAS 적용

0.3   각 모듈의 학습 목표

각 모듈의 학습 목표는 다음 표와 같다.

Module	학습목표
1) 응급환자 분류의 기초	• 응급환자 분류의 역사적 기초를 이해 • 응급환자 분류의 목표와 가치를 정의 • 응급환자의 고유한 특성을 이해 • 응급환자 분류담당자의 전문가적 역할과 개별적 특성을 이해 • 환자과의 관계, 면담 방법, 의무기록 작성 및 의사소통에 대해 배우고 이해함. • 환자 도착부터 진료 구역으로 이동까지 응급환자 분류과정을 이해 • 대기실 환자의 평가 및 우선순위 배정
2) 성인 환자의 KTAS 적용	• KTAS 5가지 분류 단계를 이해 • 170개의 주증상 목록을 이해하고 적용 • 1차 고려사항 및 2차 고려사항을 이해하고 주증상에 따라 적용 • 증례에 따른 유형 분석 후 KTAS의 분류 과정에 관해 토의 • 적절한 재평가 시간에 대해 이해
3) 소아 환자의 KTAS 적용	• 소아와 성인 응급환자 분류의 차이를 이해 • 첫인상 평가(Critical Look)의 적용 : 소아 평가 삼각형(Triangle) • KTAS를 이용한 주증상 확인 • 소아 환자의 활력 징후 해석 • 소아 고려사항의 적용 • 증례에 따른 유형 분석
4) 특수한 상황에서 KTAS 적용: 특수한 증상과 2차 고려사항	• 2차 고려사항의 정의 • 2차 고려사항의 중요성을 이해하고 성인과 소아 환자에게 적용 • 선택된 주증상에 따른 고려사항의 적용 • 응급환자 분류의 잠재적인 위험성을 인식 • 취약지의 KTAS 적용과 어려움에 대한 이해 • 증례에 따른 유형 분석

모듈1

응급환자 분류의 기초

응급환자 분류의 발전

'Triage'는 '분류하다(sort)'라는 뜻의 프랑스어로 환자 상태 및 긴급성에 따라 환자에게 우선순위를 부여하고 분류하는 과정이다. 응급환자 분류란 응급실을 방문한 환자의 상태를 중증도와 긴급도(두 가지 개념을 함께 고려하여 응급도라고 정의한다)에 따라 분류하고 치료의 우선 순위를 결정하는 과정을 말한다. 이러한 환자 분류는 나폴레옹 시대의 외과 의사 도미니크 장 라레(Dominique Jean Larrey)에 의해 처음 도입되었다. 당시에는 질병이나 손상 환자 중에서 가장 중증인 경우를 찾아내고, 신속하게 수술해서 생존율을 높이려는 목적에서 시행되었다. 이러한 분류법은 제1차 세계 대전, 제2차 세계 대전 및 베트남 전쟁을 거치면서 점차 개선되었으나 병원에는 1960년대 초에야 소개되었다. 그 배경에는 의료보험이 도입된 후로 사람들의 응급실 방문이 급증하였고, 긴급한 환자 또는 긴급하지 않은 환자를 적절하게 구분할 필요성이 높아졌다는 점이 있었다.

1980-1990년대에도 지속적으로 응급실 이용 환자가 증가하고 응급도가 높아짐에 따라 응급환자 분류에 대한 국내외의 관심이 증대되었다. 호주에서는 Fitzgerald와 Jelinek 등이 호주 응급환자 분류체계(Australian National Triage Scale)를 개발하였다. 그리고 캐나다의 Beveridge는 호주의 연구성과를 자국 상황에 맞게 수정하여 1995년 캐나다 응급의학회(Canadian Association of Emergency Physicians, CAEP)에서 5단계 응급도 분류체계를 발표하였다. 이후 캐나다 응급의학회(CAEP), 퀘벡지역 응급의사회(AMUQ), 응급간호사회(NENA) 등 여러 관련 단체가 포함된 캐나다 국가 전문가 그룹(National Working Group, NWG)의 검토와 논의를 거쳐서 캐나다 응급환자 분류도구(Canadian Triage and Acuity Scale, CTAS)가 국가적인 표준으로 처음 인정받게 되었다.(1998) 그리고 1999년 CTAS 실행 지침이 처음 출판되었다.

우리나라에서는 2012년 CTAS를 근간으로 한국형 응급환자 분류도구(Korean Triage and Acuity Scale, KTAS)를 개발하였다(연구책임자: 연세대학교 원주의과대학 응급의학과 이강현 교수). 그리고 2014년에 응급의료재단에서 보건복지부 연구용역(연구책임자: 한양대학교 의과대학 응급의학과 임태호 교수)을 통해 KTAS의 타당도 및 신뢰도를 검증하고, 교육자료 및 표준 교육시스템을 구축하였다. 이를 통해 환자 이송의 효율성을 높이고 의학적 근거를 제공함과 동시에, 환자 상태를 평가하여 진료의 우선순위를 결정하고 잠재적인 응급환자를 조기에 선별할 수 있게 되었다. 현재 전국 응급의료센터에서 KTAS를 통해 환자 분류를 시행하고 있으며 지역 응급의료기관까지 확대될 예정이다.

1.1   응급환자 분류란 무엇인가?

캐나다 응급간호사회(National Emergency Nurses Association, NENA)는 응급환자 분류(triage) 를 다음과 같이 정의한다.

"…경험이 풍부한 응급환자 분류담당자가 비판적 사고를 통해 환자를 분류하는 과정을 말하고 환자가 응급실에 도착하자마자 다음과 같은 목표를 위해 신속하게 평가한다."

1) 환자 주증상에 따른 중증도와 긴급도(두 개념을 합쳐서 '응급도'라 정의한다)를 평가하고 결정한다(응급환자 분류자는 응급실에 방문하는 모든 환자에 대해 필요한 주, 객관적인 정보와 병력을 수집한다).
2) 응급환자 분류범주에 맞춰 환자를 분류한다(환자에게는 KTAS 지침과 일치하는 응급환자 분류 단계가 부여된다).
3) 적절한 치료 구역으로 환자를 안내한다.
4) 효과적이고 효율적으로 의료 인적 자원을 배정한다.

(출처: NENA Position Statement A-1-4, 2014.13)

응급실에서는 환자가 도착함과 동시에 응급환자 분류가 시작된다. 이상적인 응급실은 도착한 모든 환자들이 치료받을 수 있는 충분한 의료환경을 갖추고 있어야 한다. 그러나 응급실 방문 환자 수나 비율이 응급실의 수용 능력이나 의료자원을 초과하는 경우에, 환자의 의료적 요구와 안전을 보장하려면 우선순위에 따라 진료하는 응급환자 분류가 필요하다. 응급환자 분류는 의료인력이나 치료 공간의 제약에 상관없이 환자 상태의 응급한 정도를 기준으로 우선순위를 정해야 한다.

효과적인 응급환자 분류는 명백히 아픈 환자만이 아니라 심각한 질환일 가능성 있는 환자를 구별해내야 한다. 더 급성으로 나타난 질환이나 분초를 다투는 시간 민감성 질환이 있는 환자들은 대기 중에 악화될 수 있기 때문에 먼저 진료볼 수 있도록 해야 한다.

응급환자 분류는 단순히 환자 구역을 구분하거나 응급도를 숫자로 구분하는 것만이 아니라 전체 진료 과정 중 하나라는 점을 명심해야 한다. 분류과정에는 인력, 의사소통, 시간과 자원 등의 요소가 포함되며 이러한 조건이 변하면 분류과정도 변경, 관리되어야 한다.

KTAS는 분류 단계별로 환자를 얼마나 오랜 시간 안전하게 대기시킬 수 있는가에 대해 지침을 제공한다. 하지만 진료의 우선순위는 응급실 의료자원이나 물리적 제한에 근거로 해서는 안 되고 환자의 현재 상태를 기준으로 판단해야 한다. KTAS 분류는 현재 1년 이상의 응급실 근무 경력이 있고 필수교육과 시험을 통해 응급환자 분류담당자 역할을 제대로 수행할 수 있는 역량이 입증된 의사, 간호사, 1급 응급구조사가 수행할 수 있다. 환자 배치에 관하여 응급실 팀원 간에 의사소통이 원활하게 잘 이루어지면 환자는 적절한 시간 내에 적절한 치료를 받을 수 있다. 응급환자 분류 과정(triage)은 응급실 내에서 환자 진료가 시작되면 종료된다.

응급환자 분류는 다음과 같은 장점이 있다.

1) 중증 질병이나 심한 손상 환자가 우선적으로 진료받을 수 있도록 한다.
2) KTAS 지침에 따라 응급도를 결정하고 필요한 의료자원 정보를 파악하는 데 도움이 된다. (예: 치료실의 종류)
3) 재평가 빈도수를 확인할 수 있다.
4) 공간과 의료자원의 효과적인 활용을 가능하게 한다.
   예를 들어, 일시적으로 환자가 몰리는 경우, 명확한 기준에 따라 분류하게 되므로 비교적 경증인 환자가 보다 안전하게 대기하게 되고 응급실 혼잡도도 줄일 수 있게 된다.
5) 환자에 대한 체계적인 초기 평가를 통해서 환자의 응급도 및 치료 제공 시간의 적절성 등에 대한 정보를 제공하고 불안감을 완화하는 데 도움을 준다.
6) 환자와 의료인 간의 의사소통을 원활하게 한다.
7) 질병 감시 체계를 지원한다.*
8) 응급실에서 근무하는 의료진들의 의사소통에도 도움이 된다.

* 질병 감시(Surveillance): 세계화에 따라 범세계적으로 유행하는 감염병의 위험성이 증가하고 있다. 그래서 지역 사회에 발생한 감염병을 조기에 식별하고, 일반 환자와 의료진들을 보호하기 위해 인플루엔자 유사 질환(Influenza Like Illness, ILI)/발열 호흡기 질환(Febrile Respiratory Illness, FRI) 같은 감염성 질병의 선별검사를 만드는 등 여러 노력을 기울이고 있다. 감염성 질환에 대한 선별 검사와 기준 증상 및 고려사항을 종합하여 응급실에서의 KTAS에 적용하면 실시간 질병 감시 목적으로 자료 수집이 가능하다.

응급환자 분류가 '진료의 장애물'이 되는 것 피하기

응급실 과밀화가 심각한 상황에서도 응급환자 분류의 중요성과 한계를 이해하는 것이 중요하다. 이러한 상황에서는 가장 위중하고 악화될 가능성이 큰 환자를 파악하여 먼저 진료 볼 수 있도록 우선순위를 정하는 것이 더욱 중요하다. 응급진료를 기다리는 나머지 환자 대부분은 KTAS가 권장하는 시간을 초과하여 기다릴 수밖에 없다.

그러나 이렇게 대기시간이 길어지는 것이 KTAS 때문이라고 책임을 전가하는 것은 적절하지 않다. 사실 이것은 KTAS와 아무런 관련이 없으며 순전히 시스템의 역량과 진료과정의 효율성과 관련이 있다. 이 부분에 대해서 환자와 의료인력, 행정 관리직 및 정부 관료들에게 명백히 설명할 필요가 있다. KTAS는 응급실 과밀화를 해소시키지도 악화시키지도 않으며 오히려 대기실에서 병이 악화되거나 환자가 사망하는 사태를 최소화하는 어느 정도의 안전망을 제공한다. 대기시간 지연을 해결하기 위해서는 응급실의 환자 처리 능력과 입퇴원 문제를 해결해야 한다. 치료받기까지 지연이 발생한다면 응급실 의료진 배치와 운영에 문제가 없는지 검토하고 최적화해야 할 필요가 있다.

응급실 효율성을 향상시키는 린 프로세스(lean process)는 최근 널리 채택되는 전략 중 하나이다. 이 과정의 목적은 응급실을 방문하여 응급의학과 의사를 보는데 걸리는 시간을 단축하는데 있다.

이는 침대에 누워서 진료받을 필요가 없는 환자에게 치료 받을 수 있는 대체 공간을 마련해줌으로써 가능하다. 응급환자 분류과정이 진료의 방해물이나 심각한 지연을 유발하는 주범이 되어서는 안 되고 오히려 환자들이 가장 적절한 치료구역으로 순서대로 이어질 수 있게 하는 방법이 되어야 한다. 진료의 연장선에서 '적절한 환자를, 적절한 장소, 적절한 시간에, 적절한 치료자에게'가 궁극적인 목표가 되어야 한다.

'Right patient, Right place, Right time, with Right care giver'.

1.3 과밀화 상태에서의 응급환자 분류

응급실 과밀화가 점점 심해짐에 따라, 한정된 의료자원을 가장 응급한 환자에게 먼저 할당하려면 적절하고 정확한 환자분류가 필요하다. 그런데 환자의 상태가 아닌, 환자의 대기시간에 근거하여 응급환자를 분류하려는 경향(예를 들면, 대기 시간이 너무 길어지는 것이 걱정되어 KTAS 5를 4로 높게 분류하거나, 분류자가 환자를 대기실에서 기다리게 하려고 KTAS 2에서 3으로 낮게 분류하는 것)이 발생할 수 있다. 응급실 상황에 맞춰 응급환자 분류를 해서는 안 되며, 환자의 상태에 맞춰 분류하도록 항상 주의해야 한다. 경험적으로 응급실이 붐비는 상황일 때 더 긴급한 환자에게 낮은 응급도 단계를 주고, 응급실이 붐비지 않는 경우, 가장 긴급하지 않은 환자에게 더 높은 단계를 주려는 경향이 있다(triage drift). 부적절하게 낮은 응급도로 분류된 환자의 안전은 위협받을 수 있다. 게다가 연구나 정책적인 비교를 위한 목적으로 응급실 환자군(case mix) 분석에 사용되는 응급환자 분류 자료의 타당성에 문제가 생긴다. 각각의 환자가 호소하는 증상을 기반으로 환자를 분류하는 것이 중요하다. 응급실 의료진에게 익숙한 환자, 동일한 문제로 반복 방문하는 환자, 또는 전형적, 일반적인 결과를 보일 것 같다고 생각하는 환자들이 호소하는 증상을 쉽게 일반화해서는 안된다. 실제 KTAS 지침에 따르지 않고 일반화하는 경향 또는 이전 결과에 따라 응급환자를 분류하는 것은 **반드시 피해야 한다.**

예: 주취로 인한 의식변화로 반복해서 내원하는 환자는 흔히 GCS의 고려사항을 적용하여 분류하게 된다. 그때 분류담당자들은 과거 경험이 있고 익숙한 환자의 증상표현이라 실제 환자의 GCS 보다 낮은 단계로 분류하는 경우가 있다(GCS 10점인 환자를 KTAS 3 또는 4로 분류). 하지만 대부분의 의료진들은 환자가 낮은 단계로 분류되었다 하더라도 KTAS 1이나 2의 응급도에 따라 환자를 치료하게 된다.

1.4 응급실 방문환자의 독특한 특성

응급실 환자는 병원을 방문하는 다른 환자들에 비해 특징적인 차이점이 많다.

1) 예정된 일정에 따라 방문하지 않는다.
2) 응급실 환자와 보호자는 그들이 조절할 수 없는 익숙하지 않은 환경 때문에 자주 불안해한다.
3) 다수의 중환자와 중증 외상 환자가 응급실로 동시에 방문하기 때문에 응급환자 분류담당자가 진료의 우선순위를 정하는데 어려움을 겪을 수 있다.
4) 지속적인 치료보다 급성기 문제의 1회적 처치에 중점을 둔다.
5) 환자와 의료진이 서로에 대해 잘 알지 못하는 경우가 흔해서 짧은 시간 안에 치료적 소통관계(rapport)를 형성하기 어렵다.
6) 환자는 진단된 상태로 응급실을 방문하는 것이 아니라 환자가 경험한 증상으로 방문한다. 그리고 본인의 모든 건강 문제를 알고 있지 못하는 경우도 흔하다.
7) 환자의 증상은 내과적, 외과적, 정신건강의학적 혹은 사회적 응급상황(학대 등)이 복합되어 나타날 수도 있다.
8) 다양한 연령대, 각기 다른 문화적, 민족적 배경을 가진 환자가 방문할 수 있으므로 응급환자 분류담당자는 이러한 요소들이 환자의 증상과 치료 또는 보호자의 기대에 미치는 영향을 이해해야 한다.
9) 지역사회 의료자원이 부족한 경우, 단순 일차진료 목적으로 응급실을 방문하기도 한다.

메모

_____

_____

_____

_____

_____

_____

_____

_____

_____

_____

_____

_____

_____

1.5   응급환자 분류담당자의 역할

응급환자 분류담당자의 역할에는 다음과 같은 요소가 중요하다.

1) 환자 평가 및 응급환자 분류 결정; 분류담당자는 환자의 증상과 응급도를 정확히 결정하기 위하여 충분한 정보를 얻어내야 하는데 이를 위해 환자 및 보호자와 치료적 소통관계(rapport)를 형성해야 한다.

2) 전문 의료진들과 의사소통; 분류담당자는 환자가 적절히 치료받도록 병원내 다양한 직종과 협력해야 한다. 예를 들면 책임 간호사, 일반 간호사, 응급의학과 의사, 응급구조사, 임상 간호사, 협진과 의사, 보안 요원, 원무과 직원 등과 의사 소통해야 한다.

3) 대중과의 의사소통; 분류담당자는 보통 응급실이나 경우에 따라 병원 전체를 대표하여 일반 대중을 응대하는 역할을 하게 된다. 대개 분류담당자는 대기실에서 환자와 접촉하게 되는 유일한 전문 의료인으로 그들의 행동과 자세가 그대로 일반 대중에 노출되기 때문에 높은 수준의 대처능력과 인내가 필요하다.

4) 치료구역 결정; 분류담당자는 환자 상태를 평가하여, KTAS 단계를 부여하고 환자를 치료구역 또는 대기구역으로 안내하며 필요에 따라 증상 완화 또는 의료 지시를 수행한다.

5) 치료 프로토콜/응급처치의 시작; 각각의 의료기관은 분류담당자가 환자 증상을 완화시키고 제한된 초기 환자 평가를 시행하기 위해 의료지침이나 치료 프로토콜을 운영할 수도 있다.

6) 감시와 재평가; 분류담당자의 책임에는 대기실에서 기다리는 환자의 상태 변화를 감시하고 재평가하는 것이 포함된다.

7) 환자의 치료 과정 흐름(patients flow)에 참여

8) 의무기록; 분류담당자는 병원이나 그 지역의 규정에 따라 환자와 연관된 모든 소견을 기록한다. 단, 기록을 하기 위해 위독한 환자나 심하게 다친 환자의 치료가 결코 지연되어서는 안 된다. 이런 상황에서는 환자가 적절하게 치료받게 된 후 기록을 완료한다.

1.6   응급환자 분류담당자의 특징

1) 효과적인 분류담당자가 되기 위해서는 긍정적이고 전문적인 태도가 필수적이다. 긍정적인 태도를 유지하기 위해 노력하며 인내심과 이해심을 갖고 적절한 분별력을 발휘하는 것이 중요하다.

2) 모든 환자에게 일관되고 편견없이 대하는 태도를 유지하는 것은 중요하다. 환자에 대한 편견이나 고정관념은 부적절한 KTAS 단계를 부여하여 환자 위험을 증가시킬 수 있다.

3) 응급환자 분류는 경험이 풍부하고 숙련된 전문가가 판단해야 한다. 분류담당자는 즉각적인 치료가 필요한 환자와 치료를 기다려도 되는 환자를 판단해야 한다. 분류담당자는 환자의 상태 변화 시점을 인지하고 신속하게 행동할 수 있어야 한다. 분류담당자는 스트레스가 많은 조건에서도 지속적으로 환자를 살필 수 있어야 한다.

훌륭한 응급환자 분류담당자가 되기 위한 특성들은 다음과 같다.

개인적 특성 (Personal Traits)	인지능력 특성 (Cognitive Characteristics)	행동 특성 (Behavioral Characteristics)
유연성(Flexibility)	다양한 기초지식 (Diverse knowledge base)	환자에 대한지지 (A patient advocate)
자주성(Autonomy)	행동하지 말아야 할 때를 구분 (Knows when not to act)	스트레스 상황에서 일처리 능력 (Works well under pressure)
훌륭한 의사소통 기술 (Effective communication skills)	비판적 사고 (Uses critical thinking)	체계적으로 일함(Organized)
적극성(Assertiveness)	신속한 결단력 (Able to make decisions quickly)	필요시 임기응변 능력 (Able to improvise)
인내심(Patience)	우선 순위를 정하는 능력 (Able to prioritize)	직관의 사용(Applies intuition)
환자에 대한 연민(Compassion)		결정에 대한 자신감 (Confidence in judgement)
듣고 배우려는 자세 (Willingness to listen and learn)		동료들에 대한 신뢰/의존 (Trust in/reliance on peers)

"외모 또는 태도에 근거하여 환자를 미리 판단하는 것은 절대 허용되지 않는다."

자신을 성찰해 보기

아래 표를 이용하여 각 범주의 특성에 대한 자신의 강점과 약점을 파악해 보자.

	나의 강점	노력이 필요한 점
개인적 특성		
인지 능력 특성		
행동특성		

노력이 필요한 점을 개선하기 위하여 앞으로 3 개월 동안 해야 할 3 가지 구체적인 행동을 제시하라.

1) _____

_____

_____

2) _____

_____

_____

3) _____

_____

_____

1.7 응급환자 분류담당자가 갖춰야 할 기술

분류담당자는 앞에서 다룬 개인적 특성과 더불어, 다음과 같은 여러 기술에 능숙해야 한다.

대중과의 관계형성 기술

분류담당자는 응급실에서 환자를 대하는 첫 번째 의료인이다. 그래서 분류담당자는 전문가로서의 자신감과 전문성, 환자 개인에 대한 충분한 관심을 보여주어야 한다. 이러한 초기 응급 분류 시의 경험은 응급환자들의 전체적인 만족도와 관련이 있음이 여러 연구에서 밝혀졌다. 분류담당자가 환자와 치료적 소통관계(rapport)를 잘 형성하면 정보교환이 용이해지고 환자의 두려움을 경감시킬 수 있다.

비판적 사고 기술

비판적 사고란 정보를 정리 분석하고, 패턴을 파악하며, 결과를 지지하는 증거를 수집하는 행위를 말한다(Practice Review Guide 2003, College of Nurses of Ontario). 분류담당자는 짧은 시간 내에 집중해서 KTAS를 적용할 때 항상 비판적으로 생각해야 한다.

고객 서비스 기술

병원은 의료 서비스를 제공하고 환자들은 응급실에 도움을 받기 위해 오는 소비자이다. 응급실은 환자들을 위해 존재하며, 의료 제공자인 우리는 그 부서에서 일한다는 것을 기억해야 한다.

면담 기술

응급환자 분류 시에 면담을 통하여 환자가 응급실을 방문하게 된 이유, 과거력, 알레르기 병력, 복용 약물 등에 대한 정보를 수집한다. 환자가 스스로 이야기하는 걱정거리는 개인의 분류 단계를 결정하는데 필수적이므로 이야기할 시간을 충분히 주도록 한다. 환자의 이야기가 질문으로 중단되면 오히려 응급환자 분류과정이 더 길어질 수 있다. 환자가 스스로 자신의 이야기를 말하도록 시간을 주는 것은 때때로 다른 증상이나 문제와 연결될 수 있는 정보를 제공하기도 한다.

예를 들어, 응급실에 방문한 한 68세 남자 환자에게 분류담당자가 "오늘 무슨 문제로 오셨나요?"라고 질문하자 환자는 허리와 이가 아프다고 말했다. 곧바로 그 둘 중에 무엇이 더 심한지 질문하였고, 환자는 치통이 심하다고 대답하여 환자를 경증 구역으로 배치하였다. 분류담당자가 경증 구역으로 안내하던 중 "근데 허리 통증은 언제부터 시작된건가요?" 라고 다시 묻자 환자는 "두 시간 전에 헛간 지붕에서 떨어진 뒤부터 아파요" 라고 대답했다. 분류담당자는 빨리 분류하려는 압박감 때문에 환자의 전체 이야기를 다 듣지 않아서는 안된다.

– 환자에게 전적으로 집중해라.
– 환자가 말하는 중에 곁을 떠나지 마라.

응급환자 분류를 위한 면담시 다음 사항에 유의해야 한다.

1) 공감하되 판단하지 말고 적극적으로 그 사람의 말을 경청한다.
2) 필요한 정보에 집중한다.
3) 눈을 마주치고 얼굴 표정을 통해 대화를 북돋운다.
4) 핵심어를 들으려고 귀를 기울인다.
5) 환자의 증상을 상세하게 알아내기 위해서 개방형 질문(open-ended question)을 사용한다.
6) 세부적인 내용을 확인하기 위하여 폐쇄형 질문(close-ended question)을 한다.
7) 정보를 분명히 하기 위하여 탐색 질문(probing question)을 이용한다(예: "환자분, 몸이 아프다고 표현했는데 정확히 무엇을 의미하는지 설명해줄 수 있나요?")
8) 환자가 제공하는 메시지를 명확히 하기 위해 침묵하기(silence)와 재확인하기(restatement)를 사용한다.
9) 특히 환자나 환자의 가족 문화에 민감해야 한다. 예를 들어 통증에 대한 환자의 반응은 문화에 따라 다를 수 있다.

환자 면담 말미에는 대화를 한번 요약 정리해준다. 환자에게 현재까지의 진료 과정을 알려주고 상태가 변경되거나 질문/의견이 있을 경우 어떻게 해야 하는지 이야기해준다.

Notes:

_____

_____

_____

_____

_____

_____

_____

_____

응급환자 분류 기록

KTAS를 기록할 때 다음과 같은 관련 정보를 포함하여 기록한다.

1) 환자 이름/연령
2) 날짜와 시간
3) 주증상(주호소 증상)
4) 주관적 평가
5) 객관적 평가
6) 1차 고려사항 및 2차 고려사항
7) KTAS 단계
8) 구역 배치(disposition)
9) 응급환자 분류에 의한 중재(triage interventions) 내용 및 재평가*
10) 분류담당자 이름(또는 ID)

* 중재나 재평가는 환자가 대기실에서 대기가 필요한 경우 적절하게 시행하고 내용을 작성해야 한다.

지역이나 병원 정책에 따라 다음 내용 중 일부 혹은 전부를 작성할 수 있으나 대부분은 병상에서 평가하는 것으로 넘길 수 있다. 특히 진료가 지연되어 대기가 필요한 경우 대기실에서 이 내용을 응급환자 분류 과정에 기록할 수 있다.

1) 알레르기/약물력
2) 예방접종력
3) 과거력

Notes:

_____

_____

_____

_____

_____

_____

_____

1.8   응급환자 분류 과정

응급환자 분류의 모든 과정은 환자 중심으로 이루어져야 한다. 응급환자 분류과정은 다음과 같은 여러 단계를 거치는데, 각 단계는 '2장 KTAS 적용'에서 자세히 다룬다.

1) 환자 도착과 첫인상 평가(Critical first look)
   - 소아 평가 삼각형(Pediatric Assessment Triangle)
2) 감염성 질환에 대한 선별검사
3) 응급환자 분류 평가(객관적, 주관적)
4) 주호소 증상 확인
5) 분류 고려사항의 확인
6) KTAS 단계 부여
7) 진료 또는 대기 구역 배치
8) 증상조절 및 간호 프로토콜 시행
9) 대기 환자의 재평가

주의: 환자가 몰리는 바쁜 시간에 모든 환자를 신속하게 분류하기는 쉽지 않다. 그러나 환자 안전을 위해 응급실 도착 10-15분 이내에 환자 분류를 시행하도록 권고한다.

"첫인상 평가(Critical Look)"

첫인상 평가는 즉시 중재가 필요한지 여부를 판단하는 과정이다. 신속한 응급처치가 필요한 경우라면 분류담당자는 환자를 우선 치료구역으로 옮기도록 지시하고, 그 다음에 첫인상 평가와 기타 정보들을 기록한다. 필요한 응급 처치를 절대로 지연시켜선 안 된다.

성인 환자가 응급실에 도착하면 분류담당자는 즉시 환자가 중증인지 확인하기 위해 신속히 'ABCD'를 확인하고 전체적인 첫인상 평가를 시행해야 한다.

A - 기도(Airway)
B - 호흡(Breathing)
C - 혈역학적 상태(Circulation/hemorrhage control)
D - 신경학적 장애(Disability; neurological)

소아의 첫인상 평가는 소아평가 삼각형(Pediatric Assessment Triangle)을 적용하여 환자의 상태를 확인한다.

- 전반적인 의식상태(Appearance)
- 호흡노력(Work of Breathing)
- 순환(Circulation)

이렇게 환자를 살펴보는데 약 3-5초 정도 걸린다. 이것은 활력징후 고려사항에서 더 자세히 살펴보게 된다.

감염 관리

우리나라의 많은 병원들이 모든 환자에 대하여 유행성 발열 호흡기 질환 및 인플루엔자 유사 질환 여부 등을 선별검사 하도록 규정하고 있다. 이 과정은 구두로 질문하거나 환자 스스로 보고하는 방식을 사용할 수 있다. 만약 양성으로 판정된다면 보건복지부, 질병관리본부 및 세계 보건 기구(World Health Organization) 등으로부터 얻을 수 있는 최신 정보에 근거한 보호 장치가 마련되어야 한다. 감염 관리를 위한 사전 선별검사는 환자의 응급도에 따라 첫인상 평가나 치료구역 배정과 동시에 이루어질 수도 있다. 감염성 질환의 선별검사에 대한 국가 혹은 병원 정책을 따르도록 주의를 기울여야 한다.

주관적 평가

주관적 평가는 환자들의 방문 사유, 동반 증상, 손상이나 질병과 관련된 병력에 대해서 환자 스스로 보고하는 것을 의미한다. 환자가 호소하는 증상을 되물어서 환자의 말과 표현을 확실히 하고 넘어가야 한다(예: 구토를 많이 했다는 것은 정확히 몇 번 했다는 것입니까?). 추가적으로 통증 점수, 사고 기전, 환자의 걱정 같은 부분도 고려되어야 한다. 필요한 정보를 이끌어 내는데 도움이 되도록 처음에는 개방형 질문을 이용하는 것이 좋다(예: "오늘 응급실을 방문한 이유는 무엇인가요?"). 가끔 이 진술만으로 KTAS를 분류하기에 충분한 경우도 있다(예: 왼쪽 팔과 턱에 방사되는 가슴통증이 30분가량 지속 = KTAS 2(심장성) 가슴 통증). 이러한 평가를 진행하는 동안 환자와 치료적 소통관계(rapport)를 형성하는 것이 중요하다.

연습

아래와 같은 흔한 증상들로 내원한 환자에게 정보를 얻기 위하여 할 수 있는 질문의 예를 들어보라.

두통 : _____

_____

_____

흉통 : _____

_____

_____

호흡곤란 : _____

_____

_____

몸이 좋지 않음 : _____

_____

_____

복통 : _____

_____

_____

요통 : _____

_____

_____

근골격계 : _____

_____

_____

그밖의 증상 : _____

_____

_____

객관적 평가

객관적 평가 기준은 환자의 질병 또는 외상에서 겉으로 보이거나 측정할 수 있는 징후들이다. 상처, 발진, 출혈, 기침, 활력 징후, 통증에 대한 신체 반응, 사고 기전, 혈당과 같은 특수 고려사항 등, 관찰 가능한 지표에 근거한 객관적 평가는 환자의 응급도 결정에 도움을 준다. "머리부터 발끝까지" 상세한 평가는 사생활이 보호되는 치료구역에서 나중에 시행한다.

주증상의 선택(170개 주증상 항목)

주증상은 보통 환자가 호소하는 증상과 일치하지만 최종적으로는 분류담당자가 결정한다. 다양한 증상을 호소하거나 상반되는 증상을 호소한다면 가장 높은 KTAS 단계를 가지는 증상이 사용된다.

환자 중심

오늘 응급실에 어디가 불편해서 방문하였습니까? – 두통, 기침, 숨참 등

어떤 증상이 가장 힘든가요? – "열과 오한이 심해요"

분류담당자 중심

환자는 다리부종과 중등도 하지 통증을 호소했지만 분류담당자는 숨참으로 기록함.

숨참 또는 하지통증을 선택할 수 있다.

분류 단계(응급도 단계) 결정

분류담당자는 첫인상 평가(critical look)와 주관적, 객관적 평가를 바탕으로 필요한 고려사항을 적용하여, 다음 질문에 해당하는 응급도 단계를 배정할 것이다.

"이 환자는 즉시 진료가 필요한가? 이 환자는 얼마나 오래 대기할 수 있는가?"

KTAS는 응급도에 근거하여 환자를 분류하고 우선순위를 결정한다. 즉, 환자를 얼마나 빨리 (즉시, 15분 이내, 30분 이내, 1시간 또는 2시간 이내에) 진료해야 하는지를 판단한다. 분류된 KTAS 단계에도 동시에 여러 명의 환자가 대기할 수 있으므로 분류담당자는 각 단계 안에서도 가장 긴급하게 침상과 의료진이 필요한 환자를 찾아내어 우선순위를 부여할 수 있어야 한다.

줄세우기(Line-ups)

응급환자 분류의 목표는 환자 도착후 10-15분 안에 응급도를 분류하는 것이다. 이 시간은 환자가 분류담당자를 만나기까지의 시간으로 측정한다. 응급환자 분류실에 대기자가 줄 지어 늘어선다면 위독한 환자나 심하게 다친 환자가 없는지 둘러보고 상황에 맞춰 그들에게 우선순위를 배정한다. 분류담당자는 차분하게 행동하고 필요시 도움을 요청해야 한다.

대기실의 환자들

응급환자 분류는 능동적 과정이다. 환자가 대기하는 동안 증상이 악화되거나 호전될 수 있기 때문에 분류담당자는 대기실에서 환자를 분류 단계에 따라 지속적으로 재평가하는 것이 중요하다. 모든 환자 및 보호자에게 환자의 상태가 변하면 바로 분류담당자에게 알려줄 것을 교육한다.

환자들과 보호자들에게 다음 진행 단계를 알려주고 기다리는 동안 정보를 제공한다. 환자들이 정보를 제공받지 못하면 불만이 쌓이고 스트레스와 불안이 증가한다. 실제로 정보가 지속적으로 제공되는 환자들은 불안이 줄어들었다. 응급실 관리자가 듣게 되는 흔한 불만사항은 "아무도 무슨 일이 일어나고 있는지 설명해주지 않는다" 는 것이다. 지난 수년 동안 응급실을 방문하는 환자 수가 증가하고 입원하는 환자의 복잡성과 입원 절차 때문에 응급실 대기 시간이 길어지고 있다. 자격 기준, 병원별, 지역별 정책, 의료지침 등에 따라 분류담당자는 아래와 같은 사항을 해야 할 수도 있다.

1) 초기 진단
2) 증상 완화 제공
3) 진통제 투여
4) 구급차로 도착한 환자의 치료 연계

분류담당자는 대기실로 배정한 각각의 환자에 대해 책임이 있다. 대기 환자가 일정수준 이상 쌓이면, 도움을 요청하는 것이 중요하다.

생각해보자

만약 당신이 응급환자 분류담당자이고 대기실에 KTAS 3단계 환자 5명이 동시에 기다리고 있다면 어떻게 해야 할까?

Notes:

_____

_____

_____

_____

_____

대기실에서의 재평가

응급실 수용 능력을 넘어 대기실에서 환자가 대기하는 경우, KTAS 단계에 따른 진료 시작 권장 시간과 동일하게 재평가를 시행해야 한다.

모든 대기 환자는 아래와 같은 시간 간격을 두고 재평가되어야 한다.

Level 1 – 지속적인 감시   Level 4 – 60분 마다
Level 2 – 15분 마다   Level 5 – 120분 마다
Level 3 – 30분 마다

초기 응급환자 분류 단계는 결코 변하지 않는다. 응급도 재평가는 자세히 기술되어야 하지만, 도착 시 평가된 초기 분류 단계를 수정하는 것이 아니라 변경된 분류 단계를 추가 기록하는 형태로 이루어져야 한다.

각각의 재평가와 함께 응급환자 분류담당자는 "이 환자가 얼마 동안 안전하게 기다릴 수 있는지" 판단해야 한다.

Notes:

_____

_____

_____

_____

_____

모듈 2

성인에서 KTAS 적용

2.1   응급환자 분류 과정

응급환자 분류 과정은 환자의 응급도 단계에 대해 신속하게 평가하고 결정하는 과정이다(그림 1). 또한, 추가적인 단계로 감염성 질환에 대한 선별 검사도 포함될 수 있다. 대부분의 환자들은 첫인상 중증도 평가(Critical look), 주증상(과거력 포함) 파악, 활력 징후 측정 후에 응급도 단계가 정해질 수 있다. 그러나 초기에 의심되는 진단(impression)의 중증도가 높은 경우에는 분류를 위한 평가를 간단하게 시행하거나, 생략하는 것이 적절할 수도 있다. 반대로, 소수의 환자들에서는 응급도 단계를 결정하기 위해 좀 더 자세한 병력과 진찰이 필요할 수 있다.

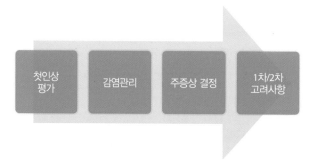

그림 1. 응급환자 분류 4단계 과정

2.2   KTAS 분류단계(성인)

그림 2. KTAS 분류 단계

KTAS 1단계 – 소생

1단계는 "생명이나 사지를 소실할 정도의 위험이 있어 적극적인 처치를 필요로 하는 상황"을 의미한다. 1단계의 환자들은 아주 명백한 고통을 호소하며 불안정한 활력 징후를 보인다. 이들은 즉각적이고 공격적인 치료가 필요한 위급한 상황에 있으므로, 더 이상의 평가가 필요 없다. 예를 들면 아래와 같은 상황이 있다.

- 심장 질환으로 인한 심정지
- 호흡 부전으로 인한 심정지
- 중증 외상(쇼크)
- 호흡곤란(중증의 호흡 부전)
- 의식 장애(무의식상태, GCS 3–8)

KTAS 1단계 케이스 증례

주증상 – 심정지 : 68세 여자환자가 응급실로 걸어 들어와서 응급환자 분류담당자에게 심한 흉통과 호흡곤란이 있다고 말한다. 갑자기 그 환자는 바닥에 쓰러졌고 활력 징후는 측정되지 않는다.

TIP for provider

심정지 환자의 경우 KTAS 1단계에 해당된다. 왜냐하면, 환자의 사망 여부가 명백하지 않은 경우, 응급의학과 전문의가 즉시 생사 여부를 확인해서 심폐소생술이 필요한 경우를 판단해야 하기 때문이다. 단, 사망이 명백하여 심폐소생술이 필요하지 않은 환자나, 단순히 사망진단서를 발급받기 위해 응급실에 망자를 데리고 내원한 경우에는 KTAS 5단계로 분류한다. 하지만 이 경우에도 가급적 의사의 사망 확인이 지연되지 않도록 주의 해야 한다.

KTAS 2단계 – 긴급

2단계는 "생명 혹은 사지를 소실할 정도의 잠재적인 위협이 있어 의사 혹은 의료 지시에 따라 빠른 처치가 필요한 상황"을 의미한다. 예를 들면 아래와 같다.

- 호흡곤란(중등도 호흡부전)
- 토혈(앉아 있는 상태에서 어지러움)
- 고혈압(증상을 동반한 수축기 혈압>220 혹은 이완기 혈압>130)
- 의식장애(GCS 9–13)
- 발열(체온>38℃, 감염 가능성에 관계없이 SIRS 기준 3가지를 만족하는 경우)
- 흉통, 비심장성(찢어지는 듯한 심한 흉통)
- 복통(8점 이상의 심한 통증)
- 두통(처음 겪는 갑작스럽고 심한 통증)
- 중증 외상 – 둔상, 명백한 손상은 보이지 않음(빠르게 주행중인 차에 치인 보행자 사고)

2단계의 환자는 급격하게 악화되어 소생술이 필요할 수 있으므로 주의 깊게 관찰하는 것이 매우 중요하다.

KTAS 2단계 케이스 증례

주증상 – 흉통, 심장성 : 52세 남자가 1 시간 전부터 가슴 중앙부의 묵직한 흉통을 주소로 응급실을 방문하였으며 현재는 증상이 호전된 상태이다. 활력 징후 : 호흡수 20, 심박수 68, 혈압 132/76

TIP for provider

이전에 심근경색, 협심증, CABG 등의 과거력이 있거나 분류자가 판단하기에 급성 관상동맥 질환에서 나타나는 증상(답답하고, 짓누르거나, 쥐어짜는 듯한 흉통)이 의심된다면 통증이 호전되더라도 환자를 2단계로 분류한다.

KTAS 3단계 – 응급

3단계는 "응급 처치가 필요하며 심각한 문제로 진행할 수 있는 잠재적 위험이 있는 상태"를 의미한다. 직장 또는 일상생활에 영향을 주거나 상당한 불편감을 유발할 수 있다. 활력징후는 보통 정상이거나 정상 범위의 상한 또는 하한치를 보인다. 이러한 환자들은 악화될 가능성이 있지만 응급실이 과밀화 되는 상황에서는 대기실로 배정된다. 예를 들면 아래와 같다.

- 호흡곤란(경한 호흡부전)
- 고혈압(증상이 없는 수축기 혈압>220 혹은 이완기 혈압>130)
- 구토 또는 오심(경한 탈수)
- 복통(4–7점의 중등도 통증)
- 두통(4–7점의 중등도 통증)
- 설사(조절되지 않는 혈성 설사)

KTAS 3단계 케이스 증례

주증상 – 복통 : 62세 남환이 복부 왼쪽 아래쪽의 통증을 주소로 응급실을 방문하였다. 통증 점수는 5/10이며 지난 12시간 동안 점점 악화되고 있다. 활력 징후는 안정적이지만 심박수는 분당 100회이고 체온은 37.6℃이다.

TIP for provider

고혈압 환자가 평소보다 낮게 정상 혈압을 보인다든지 고령 또는 스트레스 상황에 있는 환자가 서맥(40–50회/분)을 보인다면 주의해야 한다. KTAS 3단계는 환자가 붐비는 시간에는 환자 대기실에서 대기해야 하는 경우가 많기 때문에, 응급환자 분류담당자의 지속적이고 반복적인 관찰이 필요하다.

KTAS 4단계 – 준응급

4단계는 "환자의 나이, 불편한 정도, 악화될 가능성 등을 고려할 때 한 두 시간 안에 치료 혹은 재평가하면 되는 상태"를 의미한다. 예를 들면 아래와 같다.

- 착란(만성, 평상시 상태와 차이 없음)
- 요로감염 증상(경한 배뇨통)
- 변비(4이하의 경한 통증)

KTAS 4단계 케이스 증례

주증상 – 열상 : 창고에서 일하는 35세 남환이 칼에 오른쪽 손바닥을 3cm 베여서 내원하였다. 활동성 출혈은 없으나 봉합이 필요한 상태이다. 통증은 4/100이며 활력 징후는 정상이다.

TIP for provider

의식이 저하되어 있으나, 알츠하이머나 치매, 뇌 손상 등의 기왕력이 있어서 평상시와 다름없는 만성적인 의식저하에 해당된다면 KTAS 4단계로 분류하며, 만일 새로 발생했거나 평소 상태와 다르다면 KTAS 2단계로 분류한다.

KTAS 5단계 – 비응급

5단계는 "급성 발병이지만 긴급하지는 않은 상황이며 악화된 또는 악화되지 않더라도 만성적인 문제의 일부분일 수 있는 상태"를 의미한다. 이러한 질환이나 손상에 대한 검사와 치료는 미룰 수 있으며 심지어 다른 지역의 병원이나 건강 관리 시스템으로 전원 할 수 있다. 예를 들면 아래와 같다.

- 설사(경증, 탈수 증상 없음)
- 심하지 않은 물린 상처(경증의 급성 통증이 있을 수도 없을 수도 있다.)
- 상처 소독(합병증이 없는)
- 약 처방

KTAS 5단계 케이스 증례

주증상 – 상처 소독 : 34세 건강한 환자가 상처 소독 받기 위해 내원하였다. 다른 증상은 호소하지 않는다.

TIP for provider

약처방을 원하는 경우 재평가해야 하는 증상이 없음을 반드시 확인해야 하며, 증상이 있는 경우 증상에 따라 응급환자 분류를 다시 시행해야 한다.

KTAS 주증상 카테고리

• 심혈관계	• 임신 / 여성생식계	• 귀	• 눈
• 입, 목	• 근골격계	• 코	• 호흡기계
• 환경손상	• 피부	• 소화기계	• 물질오용
• 비뇨기계 / 남성생식계	• 몸통외상	• 정신건강	• 일반
• 신경계			

KTAS 주증상 카테고리별 자세한 증상 목록은 Appendix B에 첨부하였다. 앞에서 각 KTAS 단계에 대한 증례는 KTAS 주증상 목록으로부터 증상을 가져왔다.

Great TIP for provider

증상 선택 시 유의할 점

1) 〈몸통외상〉 카테고리는 흉부와 복부 단독 손상이나 또는 몸통을 포함한 다발성 둔상 또는 관통상에만 사용하며, 사지나 머리, 얼굴 부위의 외상만 있는 경우에는 선택할 수 없다.

2) 〈근골격계〉 카테고리에서 〈상/하지통증〉은 외상없이 통증이 발생한 경우(예를 들어, 통풍—gout)를 의미하며, 〈상/하지손상〉은 외상에 의해 다친 경우를 의미한다.

3) 〈신경계〉 카테고리에서 〈현훈〉은 눈앞이 빙빙도는 느낌의 어지럼증을 의미하며, 눈앞이 빙빙 도는 느낌이 없는 경우는 추가적인 병력청취 후에 〈심혈관—실신/전실신〉이나 〈심혈관—전신쇠약〉등의 다른 증상을 고려해야 한다.

4) 〈심혈관계〉 카테고리에서 〈심장성 흉통〉과 〈비심장성 흉통〉을 구분할 때, 통증의 양상이 답답하거나 짓누르거나 쥐어짜는듯 한 양상인 경우 관상동맥 질환의 가능성이 크며, 찢어지는 양상인 경우 대동맥박리의 가능성을 고려해야 한다. 찌르는 듯하고, 특정 위치를 누를 때 더 아프고, 자세 변화나 호흡에 따라 통증이 심해지거나 완화되는 양상인 경우 비심장성 흉통의 가능성이 더 높을 수 있다.

5) 병원 전 단계 상태와 병원 도착 시 상태가 다른 경우, 증상의 잠재적 악화 가능성에 따라 증상 선택에 주의해야 한다. 예를 들어, 의식 변화로 신고했는데, 이송 중 의식이 깬 경우에는 의식변화를 일으킬 수 있는 위험한 원인들을 감별해야 하기 때문에 주증상을 의식 변화로 선정하는 것이 필요하다. 반대로, 자동차 접촉사고로 허리가 아프다고 신고하였으나, 내원 당시 통증이 없고 X-ray 촬영 등의 검사를 원하는 경우 신고 당시의 증상이 아닌 〈영상 검사 / 검사실 검사〉를 주증상으로 선택할 수 있다.

KTAS 주증상 목록을 이용하여 다음 환자들이 호소하는 증상에 대한 가장 적절한 KTAS 주증상을 찾아 보라.

호소하는 증상	KTAS 주증상
1. 75세 남자가 힘이 약해지고 걷기 힘들며 계속 자려고 한다고 호소한다.	
2. 42세 남자가 바닥에 쓰러진 채 반응 없이 발견되었다. 그는 중등도의 호흡곤란을 호소하였고 피부는 차고 창백하며 축축하다.	
3. 18세 여자가 차고의 문을 닫고 차 시동을 켜놓고 앉아 있는 채로 발견되었다. 그녀는 눈을 마주치지 않았고 응급환자 분류담당자의 질문에 대답하려 하지 않았으나 그 밖에는 협조적이었다.	
4. MRI 검사를 위해 응급실로 온 환자.	
5. 68세 여환이 4시간 전부터 심한 흉통과 호흡곤란을 주소로 내원하였다.	
6. 임신 8주 차인 28세 여환이 질출혈과 복통을 주소로 내원하였다.	
7. 단독 교통 사고로 내원한 30세 여환이 목 통증과 전반적인 복통을 호소한다. 의식 소실은 없었고 의식은 명료하며 대화는 원활한 상태이다.	
8. 66세 여환이 예리한 두통 후에 의식을 잃었으며 경련하는 상태로 내원하였다.	
9. 17세 여환이 전신 가려움증과 목이 조이는 것 같은 증상을 호소하나 삼킬 수는 있다. 호흡 곤란 및 어지럼증을 호소한다. 얼굴은 부어있고 붉고 얼룩덜룩한 발진이 덮고 있다.	
10. 2개월 전에 피임을 하지 않고 성관계 했다고 하는 24세 여환이 복통을 호소한다.	

<table>
<tr><td>2.3</td><td>KTAS 분류단계 결정하기</td></tr>
</table>

분류담당자는 첫인상 평가(Critical look), 또는 환자가 안정적인 상태라면 추가적인 병력 청취나 간단한 진찰을 통해 환자 분류에 도움이 되는 정보를 얻을 수 있다. 이를 바탕으로 KTAS 주증상 카테고리에서 환자에게 가장 적절한 주증상을 선택해야 가장 정확한 KTAS 분류단계를 결정할 수 있다.

몇몇 경우에 있어서는 3-5초 간의 첫인상 평가(Critical first look)로 환자가 호소하는 증상 과 KTAS 단계를 재빨리 결정할 수 있다. 이것은 심각하고 목숨이 위태로운 질환이나 손상으로 내원하는 응급도가 높은 환자(KTAS 1 – 소생, KTAS 2 – 긴급)에게 적용된다. 예를 들면 경련을 하면서 응급환자 분류소로 들어오는 환자는 KTAS 1이며 심장과 관련된 흉통을 호소하는 환자는 2단계 이다(물론 쇼크 상태이거나 심한 호흡 곤란을 호소하지 않는 경우이다). 이러한 환자는 응급환자 분류를 위해 더 이상의 정보가 필요 없는 경우이다.

대부분의 경우 KTAS 분류단계 결정을 위해서는 더 많은 정보가 필요하다. 고려사항(modifiers)은 선택된 주증상에 추가적인 응급도 정보를 제공하여, 적절한 분류 단계를 결정하게 하는 판단 기준을 의미한다. 이는 1차 고려사항(First order modifier)과 2차 고려사항(Special modifiers, Second order modifier)으로 구분할 수 있다.

1차 고려사항은 KTAS 주증상의 대부분에 널리 적용할 수 있고 아래와 같은 우선 순위가 정해진다.

"첫인상 평가(Critical look)"를 뒷받침하는 활력 징후 고려사항

호흡 곤란	Airway
	Breathing
혈역학적 상태	Circulation
의식수준	Disability
체온	

적응증이 된다면 고려하거나 적용할 수 있는 그 밖의 1차 고려사항들

통증 점수
출혈성 질환
사고 기전

2차 고려사항은 특수한 몇가지 증상에만 적용된다. 2차 고려사항은 다음과 같은 두 가지 방법으로 적용 가능하다.

1) 일반적인 방법은 주증상과 1차 고려사항 또는 주증상과 2차 고려사항으로 모두 분류해보고, 둘 중에 더 높은 단계를 적용

2) 어떤 주증상 사례에서는 응급도 단계를 정할 때 1차 고려사항을 적용할 수 없어서 처음부터 2차 고려사항을 적용

몇몇의 2차 고려사항 사례를 모듈 4에서 다룰 것이다.

고려사항이 적용되면, 관련된 KTAS 단계와 함께 KTAS 주증상 목록은 650개가 넘는 항목들로 확대된다. 이러한 이유는 다양한 주증상을 기록하기 위한 공통 언어를 제공하기 위함이다.

TIP for provider

1차 고려사항과 2차 고려사항의 개념을 이해하는 것이 중요하다. 1차 고려사항은 활력징후와 통증, 출혈성 질환, 사고기전을 말하며, 주증상의 특성으로 인해 1차 고려사항으로 증상의 정도를 표현할 수 없는 경우에는 2차 고려사항에서 서술하여 표현한다.

2.4   1차 고려사항

1차 고려사항은 활력징후(호흡곤란, 혈역학적 안정성, 의식수준, 체온) 고려사항들을 포함할 뿐만 아니라 통증 정도, 출혈성 질환, 사고 기전을 포함한 다른 고려사항들도 포함된다. 활력 징후 고려사항은 '첫인상 평가(Critical first look)' 동안 얻은 응급환자 분류담당자의 예상 진단명 (impression)을 가장 잘 뒷받침할 수 있다. 그리고 이는 환자의 응급도를 결정하는데 가장 먼저 고려 되고 적용되어야 한다.

2.4.1   활력 징후 고려사항

호흡 곤란

병력청취를 하는 동안 응급환자 분류담당자는 호흡 노력을 평가하기 위하여 환자의 호흡을 살펴야 한다. 호흡수, 호흡 깊이, 호흡 보조근의 사용, 피부색 및 환자가 호흡을 좀 더 쉽게 하기 위해 어떤 자세를 취하는지 관찰한다. 또한 응급환자 분류담당자는 협착음 및 기침, 천명, 수포음 등과 같은 기도음 및 호흡음을 주의 깊게 들어야 한다. 다음 표와 같이 호흡곤란의 정도에 따라 KTAS 단계가 정해진다. 호흡 곤란 단계를 구분하기 위해 혈액 산소 포화도를 사용하는 것은 산소포화도가 정확하게 측정되었으며 환자가 평상시 건강한 상태에서는 정상 산소 포화도를 보인다는 가정하에 이루어진 것이다. 만성 호흡기 질환 환자는 호흡 곤란 증상에 더 중점을 두고 KTAS 단계를 판단한다.

폐활량을 측정하느라 치료와 평가를 지연시켜서는 안된다. 하지만 가끔 천식 환자에 대한 주관적인 평가가 낮은 분류 단계로 평가되게 하는 원인이 될 수 있다. 그래서 만약 당신의 병원에서 응급도 분류에 최고 호기 유속 (PEFR)을 사용한다면 측정치와 일치하는 응급도 단계(성인의 경우)를 부여해야 하며 그에 따라 적절한 처치가 시작되어야 한다.

호흡곤란의 정도	산소포화도	예상 최고호기유속 (PEFR predicted)	KTAS
중증 : 과도한 호흡노력으로 피로한 상태, 청색증, 한 단어 정도만 말할 수 있는 상태, 대화가 불가능, 상기도 폐쇄, 기면 또는 착란상태, 기도삽관 또는 호흡보조가 필요한 상태	<90%(급성발병)		1
중등도 : 증가된 호흡 노력, 구문이나 끊어진 문장으로 말할 수 있음, 기도는 유지되나 협착음(stridor)이 심하거나 악화되는 상태	<92%(급성발병) 또는 <90%(만성발병)	<40%	2
경증 : 숨참, 빈호흡, 운동시 호흡곤란, 호흡노력 증가는 없음, 완전한 문장으로 말할 수 있음, 협착음(stridor)은 있으나 명백한 기도폐쇄가 없는 상태	92–94%	40–60%	3
증상없음	>94%		4 or 5

당신은 아래의 내용을 숙지하고 시행해야 한다.

1) 반복적인 최고호기유속(PEFR) 측정.
2) 최고호기유속(PEFR) 및 FEV(강제 호기량)가 모든 만성 폐쇄성 폐질환 환자에서 유용하지는 않다는 사실을 명심한다.
3) 인종 및 성별에 따른 표를 이용한다.
4) 본인이 이전에 시행한 PEFR값 중 최고값을 근거로 내원후 측정된 최고호기유속(PEFR)을 비교하여 예상 비율을 계산한다. 본인의 PEFR 최고값을 알지 못하는 경우, 신장에 따른 정상 PEFR값을 참고한다. (Appendix C)

Adapted from: Murray, M., Bullard, M., Grafstein, E. &CEDIS National Working Group. *Revisions to the Canadian Emergency Department Triage and Acuity Scale Implementation Guidelines*. Can J Emerg Med 2004; 6(6); 421–7.

혈역학적 안정성

환자의 혈역학적 상태는 병력 청취와 동시에 파악한다. 피부색, 피부 온도, 축축한 정도(식은 땀 등)는 쇼크, 저관류, 혈역학적 불안정을 더욱 잘 구별하기 위해 관찰하는 유용한 징후이다. 관류 상태를 평가할 때 유용한 방법 중 하나는 환자의 요골동맥 맥박을 촉지하는 것이다. 맥박수와 강도는 심박출량을 평가하는 지표로 사용할 수 있다. 피부 온도와 발한 유무–따뜻하고 건조하거나 차고 축축한 피부는 응급환자 분류담당자가 환자의 혈역학적 상태를 결정하는데 도움이 된다. 피부와 눈, 점막의 색과 촉촉한 정도는 탈수와 관류 정도를 평가하는데 도움이 된다. 단순히 낮은 혈압만으로 환자의 혈역학적 안정성을 평가해서는 안된다.

마지막으로 심박수와 혈압은 혈역학적 상태를 수치화하기 위하여 기록한다. KTAS 4, 5단계를 주기 위해서는 환자의 혈압과 심박수가 정상범위에 있어야 한다. KTAS 3단계는 환자의 혈압과 심박수가 정상 범위에 있지만 정상의 상한치나 하한치에 있고 혈역학적 변화로 인한 특이 증상이 없는 상태이다.

응급환자 분류담당자의 역할은 아래 표에 기술한 것과 같이 혈역학적 변화로 인한 심각하고 생명을 위협하는 증상을 인지하는 것이다.

혈역학적 상태	KTAS
쇼크 : 중증 종말 기관(end–organ) 순환부전의 증거 약한 맥박, 심각한 빈맥 또는 서맥, 의식수준의 저하, 패혈성 쇼크처럼 홍조를 띠고 열이 나며 아파 보이는(toxic) 경우	1
혈역학적 장애 : 경계성(borderline) 관류의 증거 설명되지 않는 빈맥, 기립성 저혈압(병력청취로 확인), 저혈압 의심(정상보다 낮은 혈압 또는 평소 환자의 혈압보다 낮은 혈압)	2
환자의 주증상과 관련하여 정상 활력징후의 상한치 또는 하한치를 보이는 경우(활력징후가 환자의 평소 정상치와 차이가 있는 경우 포함)	3
정상 활력징후	4, 5

Adapted from: Murray, M., Bullard, M., Grafstein, E. &CEDIS National Working Group. *Revisions to the Canadian Emergency Department Triage and Acuity Scale Implementation Guidelines*. Can J Emerg Med 2004; 6(6); 421–7.

의식 수준

응급환자 분류소에서 의식 수준에 대한 평가는 신경학적 기능에 대한 중요한 정보를 제공한다. 머리 손상이 의심되는 환자를 판단하기 위해 개발된 Glasgow Coma Scale (GCS) 점수를 이용하여 신경학적 기능 평가를 할 수 있다. 응급환자 분류소에서 환자의 의식상태는 아래와 같이 분류된다.

Level 1 – 무의식   GCS 3–8
Level 2 – 의식수준의 변화   GCS 9–13
Level 3 – 정상   GCS 14–15

치매, 인지장애, 만성 신경학적 장애가 있는 환자는 이러한 점수 체계를 이용하는 것이 어렵다. 기저 상태의 신경학적 기능을 고려하여 환자의 평상시와 비교하여 변화가 있는지 판단하도록 하라. GCS를 어떻게 적용하는지 Appendix D를 참조하라.

의식 수준—상태(status)	GCS	AVPU*	KTAS
무의식 : 기도를 스스로 유지할 수 없거나 지속적인 발작 또는 의식수준의 점진적인 악화를 보이는 경우	3–8	U	1
의식수준의 변화 : 사람, 장소 및 시간에 대한 지남력의 상실; 최근 기억에 대한 상실; 새로 발생한 착란; 초조	9–13	V/P	2
정상 : KTAS 단계를 결정하기 위하여 다른 고려사항을 적용한다.	14–15	A	3–5

Adapted from: Murray, M., Bullard, M., Grafstein, E. &CEDIS National Working Group. *Revisions to the Canadian Emergency Department Triage and Acuity Scale Implementation Guidelines*. Can J Emerg Med 2004; 6(6); 421–7.

체온

15세 이상의 성인 환자에서 열은 일반적으로 체온 38℃ 이상의 체온으로 정의한다. 하지만, 발열은 환자가 현재 호소하는 증상이나 평소 기본 상태의 맥락 안에서 평가되어야 한다. 예를 들면 면역기능에 장애가 있는 환자들은 열이 심하지 않아도 더 쉽게 패혈증으로 발전할 수 있다.

열이 나는 환자는 패혈증의 가능성이 있는지 살펴보아야 한다. 응급환자 분류담당자가 패혈증 의심 환자를 쉽게 감별하기 위해서 전신염증반응증후군(Systemic Inflammatory Response Syndrome, SIRS)이 발열 고려사항의 정의에 포함되었다(아래 표 참조).

1) SIRS는 다양한 임상적 문제에 대한 전신의 염증 반응(systemic inflammatory response)이다. 이 반응은 아래 조건을 2가지 이상 만족할 때로 정의한다.
   - 열>38℃ 혹은 <36℃
   - 심박수>90 회/분
   - 호흡수 >20회/분 혹은 $PaCO_2$ <32 torr (<4.3 kPa)
   - WBC >12,000 cells/mm₃ 혹은 <4,000 cells/mm₃ 혹은 >10% immature (band) forms
2) 패혈증은 감염에 대한 전신 염증 반응으로 정의된다. 즉, 감염으로 인하여 2개 이상의 SIRS 조건을 만족하는 경우이다. (응급환자 분류소에서 감염이 동반되었는지 판단하기 어려우므로 3개 이상의 SIRS 기준을 만족하는 경우를 패혈증 의심으로 정의하고 KTAS 2단계로 분류한다.)

열 >38.0℃ (나이 >15세)	KTAS
면역 저하 상태 : 중성구 감소증(또는 의증), 항암 화학 요법 또는 스테로이드를 포함한 면역억제제를 복용 중인 경우	2
패혈증 의심 : 3개 이상의 SIRS 기준을 만족하거나 또는 발열을 동반한 혈역학적 이상, 중등도 호흡곤란 또는 의식 수준의 변화가 있는 경우	2
전신염증반응증후군 : 열을 포함한 2개의 SIRS 기준을 만족하는 경우	3
아파 보임 : 열이 있으면서 아파보이는 상태(홍조, 기면, 불안 또는 초조한 상태)	3
건강해 보임 : SIRS 기준 중 열만 있고 곤란함 없이 편안해 보이는 상태	4

Adapted from: Bullard, M., Unger B, Spence J, Grafstein E. *Revisions to the Canadian Emergency Department Triage and Acuity Scale (KTAS) Adult Guidelines.* Can J Emerg Med 2008;10(2);136–142.

중등도의 호흡곤란, 혈역학적으로 불안정한 상태 또는 의식 수준의 변화가 있으면서 감염이 의심되는 모든 환자는 자동적으로 KTAS 2단계로 배정되어야 한다. 그리고 순환, 호흡, 신경학적 장애에 근거하여 심한 패혈증을 고려해야 하며 그에 맞게 신속하게 치료해야 한다. 이러한 진단기준에 맞지 않는 환자에 대해서는 일반적으로 SIRS 기준을 분류에 적용한다(체온 <36 혹은 >38℃, 심박수 >90회/분, 그리고 호흡수 >20회/분). 열을 포함한 2개의 SIRS 기준을 만족하거나(전신염증반응증후군), 열이 있으면서 아파보이는 환자는 3단계로 배정되어야 한다. 건강해 보이며 SIRS 기준 중 오직 발열만 만족하거나 응급실에 내원하기 전에 확인된 열이 있었을 경우 4단계로 배정된다.

TIP for provider

1. 열사병(Heat stroke) 환자의 경우 무의식 상태가 아닐지라도 KTAS 1단계 또는 2단계로 분류한다. 중심체온이 42도 이상이면 급격히 위험한 상태로 악화될 수 있으므로, 1단계로 분류하는 것이 적절하다. 그 외 온열손상(Heat-related illness)의 경우는 환자가 호소하는 증상과 체온관련 기준에 따 라 분류하는 것이 적절하다.

2. 패혈증과 패혈증 의심의 차이
〈패혈증〉은 SIRS 중 감염이 원인으로 의심되는 경우를 말하며, 감염의 증거가 명백하지 않은 경우에도 SIRS 기준 3가지 이상을 만족하 면 패혈증의 가능성이 높다고 가정하고 〈패혈증 의심〉으로 정의한다. 단, SIRS 기준을 만족하지 않더라도 감염 으로 인한 중등도 이상의 호흡곤란, 의식 수준의 변화 등의 증상이 동반된 경우 패혈증을 의심하고 신속하게 치료해야 한다.

2.4.2 기타 1차 고려사항들

통증 점수

비정상 활력 징후로 환자가 KTAS 1단계나 2단계 배정되지 않은 경우, 통증은 응급환자 분류의 중요한 결정 인자가 된다. 질병 혹은 손상으로 인한 증상이 심각한지 신속히 파악하고, 증상이 효과적으로 조절되는지 알기 위하여 통증 점수를 측정한다. 응급환자 분류 목적에서의 통증은 통증의 강도, 위치, 지속 시간에 따라 구분된다.

중심성 통증은 체강(머리, 흉부, 복부)이나 내부 장기(눈, 고환, 심부 연조직)에서 기원하며 생명이 위독하거나 사지 소실의 위험이 있는 상황과 관련이 있을 수 있다. 말초성 통증은 피부, 연조직, 중심 골격(axial skeleton) 혹은 심각한 질환일 가능성이 낮은 표재성 장기에서 기원한다.

한가지 주의할 점은 "만약 환자가 일반적으로 말초성 통증으로 생각되는 곳에 통증을 호소하더라도, 응급환자 분류담당자가 환자의 생명이나 사지가 위협받는 상황(예, 괴사성 근막염)이라고 판단한다면 그 통증은 중심성 통증으로 판단해야 한다."는 것이다.

급성 통증은 한달 미만의 새로 발생한 통증을 말하고(Thienhaus, 2002) 만성 통증보다(진단을 위한 검사 전에) 더 위험한 질환으로 밝혀질 가능성이 높다. 만성 통증은 환자가 이미 잘 알고 있는 오래된 혹은 자주 재발하는 통증이다. 만약 환자가 주관적, 객관적 징후(sign)와 함께 심한 급성 혹은 만성 통증을 호소한다면 '급성'으로 분류하여야 한다.

통증을 바탕으로 KTAS 단계를 배정할 때, 아래의 항목을 종합하여 결정한다.

1) 환자가 주관적으로 표현하는 10점 리커트 척도 기준의 통증 정도-경증, 중등도, 중증 (단, 통증부위를 움직이거나 자극하지 않는 안정된 상태에서 평가해야함)
2) 통증의 위치와 위험의 잠재성-중심성 혹은 말초성
3) 통증의 지속 시간과 양상-급성 혹은 만성
4) 환자의 통증 반응에 대한 응급환자 분류담당자의 주관적 평가(예, 환자가 얼마나 괴로워 보이는가? 이차적 이익으로 인한 과도한 통증표현의 가능성은 없는가?)와 통증에 대한 환자의 생리학적 반응.

응급환자 분류담당자는 통증에 대한 환자의 표현과 통증의 응급도에 대한 본인의 최종 평가를 모두 기록해야 한다. 응급환자 분류담당자가 보기에 중증의 통증일지라도, 많은 환자들이 그보다 낮은 통증으로 표현할 수 있음을 주의해야 한다. 통증에 대한 환자의 반응을 당신이 평가하는 것이 핵심이다.

통증의 응급도와 통증 점수 *	통증의 위치	급성 vs 만성통증	KTAS
중증 Score 8-10	중심성	급성	2
		만성	3
	말초성	급성	3
		만성	4
중등도 Score 4-7	중심성	급성	3
		만성	4
	말초성	급성	4
		만성	5
경증 Score 1-3	중심성	급성	4
		만성	5
	말초성	급성	5
		만성	5

Adapted from: Murray, M., Bullard, M., Grafstein, E. &CEDIS National Working Group. *Revisions to the Canadian Emergency Department Triage and Acuity Scale Implementation Guidelines.* Can J Emerg Med 2004; 6(6); 421–7

출혈성 질환

출혈성 질환의 고려사항은 단순히 출혈이 있는 환자를 의미하는 것이 아니라 혈우병이나 혈소판 저하증 같은 지혈 기능에 이상이 있는 질병 혹은 혈소판 억제제, 와파린과 같은 치료목적으로 지혈을 방해하는 약물을 복용중인 환자에서 출혈이 있을 때 적용함을 명심해야 한다.

출혈성 질환이 있는 환자가 심각한 중등도의 출혈을 보이는 경우라면 신속한 응고인자 투여나 역전제(reversal agents)의 사용이 필요할 수 있다. 이러한 질환으로는 선천성 출혈성 질환과 심각한 응고인자 결함이 있으며, 이러한 환자는 대개 신속한 응고인자 투여가 필요하다. 이 범주에는 항응고제를 복용하거나 프로트롬빈 시간(PT) 혹은 부분 트롬보플라스틴 시간(PTT)이 증가되어 있는 심한 간 질환을 앓고 있는 환자도 포함된다. 이들 역시 대량 출혈의 위험성이 있으므로 진단 검사 전에 먼저 응고 인자 투여가 필요할 수 있다.

CTAS는 캐나다 혈우병 협회로부터 조언을 받아 다음 고려사항을 개발하였고 KTAS도 이 기준을 적용하기로 하였다.

아래 표에는 사지를 소실할 정도의 위급한 출혈과 중등도/경증 출혈의 예가 열거되어 있다.

지혈에 문제가 있는 상황에서 생명 혹은 사지를 소실할 정도의 위급한 출혈 (KTAS 2)	지혈에 문제가 있는 상황에서 중등도나 경도의 출혈 (KTAS 3)
두부(두개 내)와 경부	코(코피)
흉부, 복부, 골반, 척추	입(잇몸을 포함)
대량 질 출혈	관절(혈관절증)
엉덩허리근과 엉덩이	월경과다
사지 근육 구획증후군	찰과상과 단순 열상
골절 또는 탈구	
건손상이나 신경손상을 동반한 심부 열상	
멈추지 않는 출혈	

Adapted from: Bullard, M., Unger B, Spence J, Grafstein E. *Revisions to the Canadian Emergency Department Triage and Acuity Scale (KTAS) adult guidelines.* Can J Emerg Med 2008; 10(2);136−142.

선천적 혹은 후천적 출혈성 질환 환자가 응급실을 방문하는 경우가 흔하진 않지만, 외상만이 아니라 비외상으로 발생한 출혈에도 위의 고려사항을 적용할 수 있다. 해당되는 경우라면 1차 고려사항 중 출혈성 질환의 항목을 선택한다.

출혈성 질환 유무를 확인하는 목적은 대량 출혈 환자에서 30분 이내에, 그리고 중등도나 경증의 출혈 환자에서 1시간 이내에 신속한 응고인자 수혈을 시행하기 위해서이다.

후천적 출혈성 질환도 선천적인 경우와 동일한 분류 기준을 사용하고 프로트롬빈 복합 농축물 혹은 신선동결혈장 수혈이 필요한 경우도 동일하게 적용한다. 하지만 후천적인 경우에서는 위험할 정도로 높은 INRs 혹은 PTTs를 보이는 환자들만이 혈우병 환자들과 같은 정도의 출혈 위험도를 보인다. 그들을 위한 치료는 프로트롬빈 복합 농축물, 신선동결혈장, 추가 혹은 단독 비타민 K의 투여이며 최종적으로는 의료진이 결정한다.

TIP for provider

1. 출혈성 질환이 없는 환자에서 위험한 출혈 (출혈량이 많거나, 지혈이 잘 되지 않는 출혈 등)이 있는 경우는 혈역학적 상태를 평가하여 적용하거나 출혈성 질환 환자에게 적용하는 출혈 평가 기준을 적용할 수 있다. (단, 출혈성 질환이 없는 단순출혈 환자에서는 출혈성 질환의 기준을 적용하지 않음)

2. 와파린과 같은 항응고제를 복용하는 환자는 출혈 위험이 높지만, 아스피린이나 플라빅스 같은 항혈소판제는 해당되지 않는다.

사고 기전

　외상으로 인한 손상, 증상, 통증을 호소하는 모든 환자에 대해서 사고 기전을 파악하고 기록하여야 한다. 이것은 강한 충격이 있는 자동차 사고부터 발목 염좌와 같은 가벼운 외상에 이르기까지 모든 범위의 외상에 적용된다. 이 같은 정보는 응급환자 분류담당자가 얼마나 큰 에너지 혹은 외력이 환자의 신체와 장기에 전달되었는지 판단하는데 도움이 된다.

　충격이 크면 클수록(예를 들면, 자동차 전복사고, 6 m 이상에서의 낙상) 손상의 정도는 더 심각할 수 있다.

　외상으로 응급실을 방문한 환자에 대하여 사고 기전은 응급환자 분류에 필요한 중요 정보이다. 사고 기전은 어떻게 에너지가 외부로부터 환자에게 전달되었는지 기술한다. (예를 들면, 전신주를 들이받은 자동차 혹은 계단 아래 콘크리트 바닥에 떨어진 환자)

　자동차의 속도, 환자가 날아간 거리 그리고 사고 현장에서 발견된 환자의 자세는 충격의 정도와 힘이 전달된 방향을 결정하는데 도움이 된다. 해부학적, 역학적 지식이 있다면 응급환자 분류담당자는 에너지가 어느 방향으로 전달되었는지 추정할 수 있으며 어떤 손상이 있을지 알아내거나 예측할 수 있다.

　사고 기전을 파악하고 기록할 때 응급환자 분류담당자는 외상의 종류나 정도와 관련된 명확한 사고 내용을 파악하기 위해 노력하여야 한다. 사고 상황을 정확히 파악하는데 구급대원, 환자 혹은 환자의 가족이 도움이 될 수 있다.

　사고 기전을 파악하는데 아래와 같은 직접적인 질문이 도움이 된다.

- 환자가 구른 계단의 수는 몇 개입니까?
- 계단 아래 환자가 착지한 곳은 무엇으로 되어 있습니까? (콘크리트 대 깃털 같이 푹신한 곳)
- 사고 당시 보행자였습니까? 아니면 자전거를 타고 있었습니까? 얼마나 빨리 달리고 있었습니까?

　사고 기전은 KTAS 단계를 결정하는 중요한 고려사항의 하나로 추가되었다.

　안정적인 환자라도 사고기전에 따라 위험도가 높을 수 있다. 고위험 사고 기전 환자는 KTAS 2단계로 분류한다. 다음 표에 고위험 사고 기전의 예가 나열되어 있다.

사고 기전	KTAS 2
일반적 외상	• 자동차 사고 : 차량에서 튕겨져 나감, 전복, 20분 이상의 구조시간, 탑승자 공간의 중대한 함입, 동 승자 사망, 40km/h 이상의 충돌(안전벨트 미착용) 혹은 60km/h 이상의 충돌(안전벨트 착용) • 오토바이 사고 : 30km/h 이상의 차량과 충돌, 특히 오토바이 운전자가 오토바이에서 튕겨져 나간 경우 • 보행자 혹은 자전거 운전자 : 10km/h 이상의 속도로 자동차와 충돌 • 추락 : > 6m 혹은 5계단 • 관통상: 두부, 경부, 몸통 혹은 팔꿈치와 무릎 근위부의 사지
두부 외상	• 자동차 사고 : 차량에서 튕겨져 나감, 안전벨트 미착용 상태로 머리를 차유리에 부딪힘 • 보행자 혹은 자전거 운전자 : 차량에 부딪힘 • 추락 : > 1m 혹은 5계단 이상 • 폭행손상 : 손이나 발이 아닌 둔기를 사용한 경우
경부 외상	• 자동차 사고 : 차량에서 튕겨져 나감, 전복, 높은 속도의 사고(특히, 안전벨트 미착용) • 오토바이 사고 : 30km/h 이상의 차량과 충돌, 특히 오토바이 운전자가 튕겨져 나간 경우 • 추락 : > 1m 혹은 5계단 이상 • 머리의 종축으로 충격이 가해진 경우

Adapted from: Murray, M., Bullard, M., Grafstein. E. &CEDIS National Working Group. *Revisions to the Canadian Emergency Department Triage and Acuity Scale Implementation Guidelines*. Can J Emerg Med 2004; 6(6); 421-7.
Emergency Nurses Association. (2000).Trauma Nursing Core Course Manual. 5[th]ed.

2.5   2차 고려사항

2차 고려사항은 몇몇 제한된 주증상에 특이적이다. 2차 고려사항은 환자에게 적절한 응급도를 부여하기 위해 1차 고려사항을 보충하는 목적에서 사용될 수 있다. 혹은 환자가 호소하는 증상이 1차 고려사항과 전혀 무관하거나 응급환자를 분류하는데 부적절할 경우, 2차 고려사항이 응급환자 분류를 위한 절대적인 필수 요소가 될 수도 있다.

예:

- 혈당 수치
- 고혈압
- 사지약화/뇌졸중 증상
- 탈수 정도
- 비심장성 흉통
- 연하곤란/연하장애 등

2.5.1   혈당

지금까지 혈당 수치는 응급환자 분류 시의 고려사항이 아니었다. 하지만 대기 시간이 점차 길어지면서 좀 더 응급한 환자들 중 일부 사람들에게 혈당 측정은 필수적인 고려사항이 되었다. 당뇨가 있거나 비정상적인 혈당과 연관된 증상을 호소하는 환자에게 혈당 수치는 중요한 2차 고려사항의 하나로 가장 적절한 응급도 단계를 결정하는데 도움이 될 수 있다. 2차 고려사항 중 혈당 수치가 적용되는 주증상으로는 고혈당과 저혈당, 의식수준의 변화, 혼미한 의식 상태가 있다.

의식 수준의 변화, 경련, 이상 행동 혹은 이미 당뇨가 진단된 환자에 있어서는 혈당을 측정한다. 혈당 수치는 응급도 결정에 도움이 될 수 있으나 응급환자 분류소에서의 혈당 측정은 안정 적인 환자를 대상으로만 시행하여야 한다. 불안정한 환자들은 치료 구역으로 바로 이동하여야 하며 침상에서 다른 고려사항을 함께 적용하여 응급도 단계를 결정할 수 있다.

호소증상	혈당 수치	증상	KTAS
의식수준의 변화, 혼미, 고혈당, 저혈당	<54 mg/dl	증상 상관 없음	2
	54–70 mg/dl	착란, 발한, 행동 변화, 경련, 급성 국소적 신경학적 장애	2
		증상 없음	3
	>324 mg/dl	호흡곤란, 탈수, 빈호흡, 구갈, 다뇨, 위약감	2
		증상 없음	3

Adapted from: Murray, M., Bullard, M., Grafstein, E. & CEDIS National Working Group. *Revisions to the Canadian Emergency Department Triage and Acuity Scale Implementation Guidelines.* Can J Emerg Med 2004; 6(6); 421–7.
건강한 성인의 연구에서 혈당이 60 mmol/L미만으로 감소시 의식의 약간 감소하는 것으로 알려져 있다. 아드레날과 글루카곤은 정상적으로 혈당이 50 mmol/L아래로 떨어지면 분비된다. 분비 장애는 혈당이 37 mmol/L아래로 떨어지기 전까지는 명확하게 나타나지 않는다.
Reference) Cryer, Phillip E. Glucose homestasis and hypoglycaemia, In Larsen P, Reed, ed. Williams Textbook of Endocrinology(10th ed) Philadephia: W.B. Saunders 2003. Pp 1585–1618 ISBN 0–7216–9196–X

2.5.2   탈수 정도

응급환자 분류 시 구역, 구토, 설사, 전신 쇠약을 주증상으로 방문하는 환자에 대해 원인이 탈수인 경우를 고려해야 한다. 특히 대기시간이 길어질 수 있는 경우 주의하여야 한다.

다음 표에서 탈수의 응급도에 대한 정의를 KTAS 단계에 따라 정리하였다.

이는 환자 상태를 통한 1차 고려사항으로 응급도 단계가 결정되지 않을 경우 사용된다.

호소증상	2차 고려사항	KTAS
구역, 구토, 설사, 전신 쇠약감	중증 탈수 : 고전적인 탈수 징후를 동반하는 심각한 체액 소실 및 쇼크의 증상과 징후	1
	중등도 탈수 : 건조한 점막, 빈맥, 피부 탄력도 저하 및 소변량 감소	2
	경증 탈수 : 안정된 활력징후를 보이나 목마름이 심해지고 소변색이 진해짐. 수분 섭취 감소나 체액 소실의 병력이 동반됨	3
	잠재적 탈수 : 탈수 증상은 없으나 체액 소실이 지속되거나 경구 수분 섭취에 어려움이 동반된 경우	4

2.5.3 **고혈압/성인에서의 혈압**

　혈압이 상승한 경우 상승된 정도와 기타 증상의 유무를 통해 KTAS 단계를 결정한다. 이러한 증상들은 혈압 상승에 대한 2차 고려사항이다. 그러나 일부 KTAS 2단계의 고혈압 환자들은 흉통이나 호흡곤란을 주증상으로 표현하기도 하므로 이를 통한 평가가 더 적합한 경우도 있다. 아래 2번째 표 (2.5.4)를 참고하라.

성인 혈압	증상	KTAS
수축기혈압 > 220 혹은 이완기혈압 > 130	고혈압 관련된 **1가지 이상** 증상 동반 (예 두통, 구역, 호흡곤란, 흉통)	2
수축기혈압 > 220 혹은 이완기혈압 > 130	기타 증상 **없음**	3
수축기혈압 200—220 혹은 이완기혈압 110—130	고혈압 관련된 **1가지 이상** 증상 동반 (예 두통, 구역, 호흡곤란, 흉통)	3
수축기혈압 200—220 혹은 이완기혈압 110—130	기타 증상 **없음**	4 & 5

Adapted from: Murray, M., Bullard, M., Grafstein, E. & CEDIS National Working Group. *Revisions to the Canadian Emergency Department Triage and Acuity Scale Implementation Guidelines*. Can J Emerg Med 2004; 6(6): 421–7.

2.5.4   선택적 2차 고려사항의 기타 다른 예시

주증상	개정된 고려사항	KTAS
흉통 (비심장성)	기타 심각한 가슴 통증 (잡아 째는, 찢어 지는 통증)	2
사지약화 / 뇌졸중 증상	발병시간* <24 시간	2
	발병시간* >24 시간 혹은 회복된 상태	3
연하곤란 / 연하장애	침흘림 혹은 협착음	2
	이물질의 가능성	3
상지 혹은 하지 손상	명백한 변형†	3

* 발병시간은 병원별 초급성 뇌경색 판단 기준에 따라 다를 수 있음.
†이는 경도/중등도 통증이 동반된 골절 환자의 대기 시간이 길어져 환자가 느끼는 불안을 줄이기 위해서 level up한 것이다.

2.6   분류 운영관리

　KTAS는 흔하면서 위험한 응급실 내원 증상들을 대부분 포함할 수 있는 적절한 KTAS 주증상 목록을 개정시키며 발전해 왔다. 또한 이러한 위험 증상들이 첫인상 평가(Critical look)를 시행하는 경험 있는 응급환자 분류담당자들에게 확실히 인지될 수 있어야 한다. 활력징후와 그 밖의 1차 고려사항에 의해 도움을 받을 수 있다. '시간에 민감한' 응급 상황을 확실히 하는데 도움을 줄 수 있는 특별한 2차 고려사항들도 있다. 그리고 나서 이러한 기준에 잘 부합하면서 응급실 상황이 적절하다면 KTAS 2단계 이상으로 분류한다.

2.7   응급환자 분류 결정

　요약하자면, 환자의 응급환자 분류는 다음을 기반으로 한다.

첫인상 평가(Critical first look)
　감염 관리
　KTAS 주증상
　1차 고려사항
　　1) 활력 징후(호흡 곤란, 혈역학적 안정성, 의식 수준, 체온)
　　2) 그 외 : 통증 점수, 출혈성 질환, 사고 기전
　2차 고려사항
　　응급환자 분류담당자 판단(환자가 1차 고려사항보다 높은 위험성을 나타내는 세부적인 증상이 있는 경우는 up-triage 해야 된다)

2.8   대기실에서의 재평가

안전한 치료를 받기 위해, 대기하게 되는 모든 환자는 다음 시간마다 재평가가 되어야 한다.

level 1 - 진료를 지속	level 4 - 60분 마다
level 2 - 15분 마다	level 5 - 120분 마다
level 3 - 30분 마다	

재평가의 범위는 나타내는 증상, 초기 응급환자 분류 단계, 그리고 환자에 의해 확인된 변화에 따라 달라진다. 재평가 소견과 변경된 응급환자 분류 단계(응급환자 분류담당자가 환자의 우선 순위를 높일 필요가 있는 경우도 있다)를 기록한다. 그러나 초기 KTAS 단계와 분류 근거는 기록되어 있어야 한다. 이는 환자 상태의 예상치 못한 변화에 대해 의료진이 적절하게 대응한 근거자료로 사용될 수 있다.

그룹 훈련

성인 환자 사례

사례 ❶ 나이: 26세 / 성별: 남

분류담당자 : 어떻게 오셨어요?

환 자 : (환자가 다친 부위를 헝겊으로 누르고 있음) 자동차 문을 닫다가 손가락이 껴서 손톱쪽에 멍이 들고 반대쪽은 살이 찢어졌어요.

(환자는 오른쪽 두번째, 세번째 손가락 마지막 마디를 다침)

분류담당자 : (환자가 부르고 있는 부분을 보며, 살이 찢어진 부분의 원위부를 만진다) 봉합이 필요하겠네요. 손가락 끝쪽의 느낌이 이상하지는 않아요?

환 자 : 느낌은 괜찮아요. 피는 멎은 것 같아요.

분류담당자 : 하나도 안 아픈 게 0점이고, 제일 아픈 통증이 10점이라면 몇 점 정도예요?

환 자 : 4점 정도인 것 같아요.

분류담당자 : 네, 알겠습니다. 치료실로 들어가실게요.

활력징후는 정상임.

• 선택 증상

• KTAS 단계 : (   ) 단계

• 판단 근거

사례 ❷　나이: **33세** / 성별: 여

분류담당자 : 어떻게 오셨어요?

환　자 : (119에서 부목을 댄 상태로, 발을 절며 의자에 앉는다) 좁은 골목에서 지나가는 차를 피하려고 벽쪽에 붙어 서 있었는데, 승용차 바퀴에 발을 밟혔어요.

분류담당자 : 오른쪽 발인가요?

환　자 : 네, 자꾸 붓는 것 같아요.

분류담당자 : 통증은 얼마나 심한가요? 가장 심한 통증을 10점이라고 했을 때 현재는 몇 점 정도에요?

환　자 : 걸을 때 7점 정도 되는 것 같아요.

분류담당자 : 가만히 있을 때는요?

환　자 : 가만히 있으면 별로 안 아파요. 한 2점?

분류담당자 : 네, 자리로 안내해 드릴게요.

활력징후는 정상임

• **선택 증상**

• **KTAS** 단계 : (　　　) 단계

• **판단 근거**

사례 ❸ 나이: 46세 / 성별: 여

(119타고내원)

분류담당자 : 어디가 불편하세요?

환 자 : 30분전부터 가슴이랑 명치가 답답하고, 턱 밑도 아파요. 힘도 없구요.

분류담당자 : 움직이거나 숨쉴 때 아프세요? 아니면, 찌르는 것처럼 아프세요? 아니면 쥐어짜는 것 같아요?

환 자 : 쥐어짜는 것 같아요. 무겁게 누르는 것 같기도 하구요.

분류담당자 : 담배 피우세요?

환 자 : 1년전에 끊었어요.

분류담당자 : 그 전에 얼마동안 피우셨어요?

환 자 : 한 30년 피웠어요. 하루 한 갑 정도?

분류담당자 : 네, 바로 처치와 검사 시작하겠습니다.

★ 혈압 80/48 mmHg, 맥박수 47회/분, 호흡수 18회/분, 산소포화도 95%

• 선택 증상

• **KTAS 단계 : (   ) 단계**

• 판단 근거

사례 ④ 나이: 76세 / 성별: 남

(119타고내원)

분류담당자 : 어디가 불편하세요?

환 자 : 어지러워서 왔어요.

분류담당자 : 언제부터 그러셨어요?

환 자 : 어제 저녁에 감기 기운이 좀 있었는데, 아침부터 힘이 없고 쓰러질 것 같아요.

분류담당자 : 빙빙 돌거나 토할 것 같지는 않았어요?

환 자 : 그렇지는 않았어요.

분류담당자 : 어떻게 하면 심해져요?

환 자 : 앉았다 일어나거나 걸어갈 때 땅이 저한테 올라오는 느낌이예요.

분류담당자 : 팔, 다리에 힘이 빠지거나 발음이 이상해지지는 않았어요?

환 자 : 그냥 온 몸에 힘이 좀 없는 느낌이에요.

★ 활력징후 정상

• 선택 증상

• KTAS 단계 : (   ) 단계

• 판단 근거

사례 ❺ 나이: **25세 / 성별: 남**

(자전거 타고 가다 다른 자전거와 부딪혀서 넘어진 후 119 통해 내원)

분류담당자 : 어디가 불편하세요?

환　자 : 왼쪽 팔꿈치랑 허리가 아파요.

분류담당자 : 배나 가슴은 안 부딪혔어요?

환　자 : 네, 머리도 안 부딪히고, 팔꿈치로 떨어졌어요. 허리는 부딪힌 건 아니고, 삐끗한 것 같아요.

분류담당자 : 더 아픈 곳이 어디예요?

환　자 : 팔꿈치가 더 아파요.

분류담당자 : 가장 심한 통증이 10점이라면 지금 팔꿈치는 몇 점이예요?

환　자 : 6점 정도요.

분류담당자 : 허리는요?

환　자 : 4점 정도요.

★ 활력징후 정상

・ **선택 증상**

・ **KTAS** 단계 : (　　　) 단계

・ **판단 근거**

사례 **6**   나이: **63세** / 성별: 남

(숨을 가쁘게 쉬면서 119 통해 내원)

분류담당자 : 숨 많이 차세요?

환 자 : (대답하지 않고 고개만 끄덕임)

분류담당자 : 원래 천식이 있어요?

환 자 : (고개를 저으며) 심장이(쉬고) 원래(쉬고) 안좋아요.

분류담당자 : 알겠습니다.

(산소포화도를 측정한다. 92%가 나옴)

★ 혈압 150/90 mmHg, 맥박수 120회/분, 호흡수 27회/분, 체온 35.5℃

• **선택 증상**

• **KTAS 단계 :** (   ) 단계

• **판단 근거**

사례 **7** 나이: **63세** / 성별: 남

(의식저하 상태로 119 통해 내원)

(119타고 침대에 누운채 환자가 들어옴. 옆에 보호자로는 회사 동료가 같이 옴)

분류담당자 : 어떻게 오셨어요?

보호자 : 회식하다가 의식이 없어져서 데리고 왔어요.

(보호자도 주취상태인 것처럼 보임)

분류담당자 : 혹시 평소에 지병이 있던 분인가요?

보호자 : 그건 잘 모르겠어요. 부인한테 연락을 했으니까 곧 올 거예요.

분류담당자 : 부인분 연락처 저희한테 좀 알려주세요. (환자를 보며) 환자분 눈 좀 떠보세요.

(환자는 통증에 반응하지만 의식은 명료하지 않은 상태임)

분류담당자 : (보호자에게) 응급실 들어가서 검사와 치료를 하겠습니다.

★ 활력징후는 정상, GCS 8

• 선택 증상

• **KTAS** 단계 : (   ) 단계

• 판단 근거

사례 ❽ 나이: **75세** / 성별: **남**

분류담당자 : 어디가 불편해서 오셨어요?

환 자 : 배가 꾸르륵거리고, 설사를 너무 많이 해요.

분류담당자 : 언제부터 설사가 시작됐어요?

환 자 : 그저께부터 하루에 10번 넘게 물만 나와요.

분류담당자 : 소변은 잘 나와요?

환 자 : 잘 안나오고, 색이 좀 진해졌어요.

보호자 : 어제부터 안절부절 못하시고, 자꾸 어지럽다고 하세요.

분류담당자 : (피부를 눌러보고 당겨보면서) 피부가 건조하고, 혈색도 빨리 안 돌아오네요.

★ 혈압 110/70 mmHg, 맥박수 95회/분, 호흡수 25회/분, 체온 36.5℃

• 선택 증상

• **KTAS** 단계 : (   ) 단계

• 판단 근거

사례 ❾ 나이: 36세 / 성별: 여

분류담당자 : 어디가 불편해서 오셨어요?

환 자 : 어젯밤부터 하혈을 해서 왔어요.

분류담당자 : 패드가 몇 장이나 젖었나요?

환 자 : 어젯밤부터 8장정도가 완전히 젖었어요.

분류담당자 : 지금도 피가 계속 나오나요?

환 자 : 네, 지금도 흐르는 느낌이 나요. 자꾸 어지럽고요.

분류담당자 : 혹시 임신 가능성 있어요?

환 자 : 아니요.

분류담당자 : 알겠습니다. 자리에 누워서 진료 시작할게요.

★ 혈압 90/50 mmHg, 맥박수 115회/분, 호흡수 16회/분, 체온 36.5℃

• 선택 증상

• **KTAS** 단계 : (   ) 단계

• 판단 근거

모듈3

소아에서 KTAS 적용

3.1   소아를 위한 응급환자 분류 지침

적용 대상

- 신생아부터 소아까지의 아동 (0–15세)
- 청소년기(15–20세)는 병원별로 기준에 따라 다르게 적용될 수 있음
- 발달 장애나 소아청소년과 치료를 받는 질환 (예, 뇌성마비, 간질)을 가진 성인도 포함
- 생명유지기능 의료기기 (예, 인공호흡기, 기관절개관, 산소치료, 경장영양관, 정맥영양 등)를 사용하는 소아환자는 응급도가 낮은 증상이라도 응급실 진료가 필요함

3.2   성인과 소아 응급환자 분류의 비교

- 소아의 분류단계는 성인과 동일한 KTAS 다섯 단계를 따른다.
- 소아의 KTAS 주증상 목록은 성인의 주증상 목록에 더해 소아의 특별한 증상과 고려사항이 포함된다.
- 소아의 첫인상 평가는 소아평가 삼각형(Pediatric Assessment Triangle)을 적용하여 환자의 전반적인 의식상태(Appearance), 호흡 노력(Work of Breathing), 순환(Circulation) 상태를 확인한다.

3.3   KTAS 분류단계(소아)

KTAS 1단계 – 소생
- 발작(현재 지속되는 발작)
- 무의식
- 중증 외상
- 심각한 호흡 부전

KTAS 2단계 – 긴급
- 심각한 탈수
- 호흡 곤란(중등도의 호흡 부전) : 산소포화도<92%
- 비정상적으로 침을 많이 흘리는 인후통
- 영구치의 탈락

KTAS 3단계 – 응급

- 응급센터 도착 전의 발작(현재 의식 명료)
- 이물질 흡인(호흡 부전 없음)
- 연구개의 천공 상처
- 중증의 천식 : 산소포화도 92-94%
- 의식소실을 동반한 두부외상(현재 의식 명료 GCS 14-15점)

KTAS 4단계 – 준응급

- 경증의 천식 : 산소포화도>94%
- 봉합이 필요한 열상
- 경증 두부 외상(의식 소실 없음)
- 비특이적인 열(건강해 보임)

KTAS 5단계 – 비응급

- 드레싱 교체
- 처방전 발급
- 물림(경증)
- 봉합이 필요 없는 경한 열상

3.4 응급환자 분류 과정

소아에서도 성인과 평가 과정은 동일하다. 대부분의 소아는 첫인상 평가, 감염확인, 주증상 확인(관련된 병력포함), 활력징후 측정을 마치고 분류 결과가 결정된다. 첫인상 평가에서 심각한 상태인 소아환자는 치료를 먼저 시행한다. 평가와 기록이 긴급한 치료를 방해해서는 안된다. 정확한 평가를 위해서 보다 자세한 병력 청취와 신체검사가 필요한 경우도 있다.

3.5 소아 응급환자 분류는 성인과 어떻게 다른가?

소아환자의 평가는 소아의 성장 단계에 따라 달라질 수 있다. 0-3개월은 영아에서 특히 취약한 기간이며 특별한 기준과 고려사항을 반영해서 분류가 이루어진다.

- 첫인상 평가는 소아평가 삼각형 (Pediatric Assessment Triangle) 을 이용하여 환자의 상태를 확인한다. (성인에서는 ABCD를 확인하고 전체적인 첫인상 평가를 시행한다.)
- 소아의 해부학, 생리학적 특성을 고려한다.
- 소아는 호소하는 증상과 각 증상의 중요도가 성인과 다르다.
- 소아는 생체징후의 평가 기준과 고려사항이 성인과 다르다.
- 소아의 증상은 소아의 상태를 정확히 반영하지 않을 수 있다. (예, 통증의 정도를 판단하기 어려워, 골절, 장중첩증, 횡격막탈장, 고환염전 등 다양한 질환의 진단이 늦어진다.)
- 연령 / 발달, 심리 사회적 요소가 소아 평가에 상당한 영향을 준다.
- 소아는 질병의 증상이 늦게 나타날 수 있다.
- 만성 및 복합 질환을 가진 소아는 평소 상태를 먼저 확인해야 정확하게 분류할 수 있다.

3.6   소아의 특수한 고려사항

소아환자는 성장단계에 따라 해부학적 생리학적 특징이 달라진다. 정확하게 소아 환자를 분류하기 위해서는 연령에 따른 정상 체중/혈압/맥박/호흡 표를 사용할 수 있어야 한다. 소아환자의 환경/가족/문화가 질병/손상에 영향을 주었는지도 확인해야 한다.

소아의 특수한 고려사항들

- 미숙아
- 대사질환
- 선천성 기형
- 의료기기를 유지하는 소아환자 (인공호흡기, 기관절개관, 산소치료, 경장영양관, 정맥영양 등)
- 발달장애
- 아동학대

3.6.1   해부학적 및 생리학적 특성

기도(airway)

- 아이가 작을수록 기도의 직경도 작다. 경도의 부종, 소량의 분비물 또는 이물질 등이 기도를 막아 기도 협착음(stridor)을 유발할 수 있다.
- 어린 소아에서 상기도 분비물이 생기면 호흡곤란의 증상이 나타난다. 소량의 코 분비물/부종으로도 기도폐쇄 및 호흡곤란을 유발할수 있다.

호흡기

- 소아는 성인보다 폐활량이 작고 가스교환을 위한 폐표 면적이 작다. 이를 보완하기 위해서 호흡이 빠르고, 호흡 보조근을 많이 사용한다. 폐순응도(lung compliance)도 성인에 비해 높다. 흉곽이 발달하지 않아 복식호흡을 한다. 하지만 호흡곤란이 생기면 추가로 호흡량을 늘릴수 있는 예비호흡량이 부족하여 빠르게 악화된다.

- 영아는 상대적으로 혀가 크고 목을 가누지 못해 인해 코로 호흡하는 경향이 있다.
- 작은 소아는 복근을 이용하여 호흡하며 흉부와 복부가 시소 패턴의 움직임을 보인다.
- 소아의 늑골은 주로 연골이고 복부를 감싸지 않기 때문에 외상으로부터 복부 장기를 보호하지 못한다.

심혈관(순환기)

- 중심 동맥 및 말초 동맥의 맥박, 피부색, 체온 등을 평가한다.
- 소아에서 빈맥은 체액 감소의 가장 초기 소견이다. 소아는 체액 감소시 심장의 1회 박출량을 효과적으로 증가시키지 못한다. 따라서 심박수가 증가하는 것을 쇼크의 민감한 징후로 판단해야 한다. 반대로 소아에서 맥박수가 느려진다면 순환량이 급격히 줄어드는 것으로 판단한다. 때문에 분당 60회 미만의 맥박수는 심정지와 동일한 상태로 판단하고 심폐소생술을 시행한다.
- 어린 소아에서는 체중 당 순환혈액량이 작아 소량의 혈액 손실도 위험할 수 있다. 순환량의 25%(체중에 따라 수백 밀리리터 정도일 수 있음)의 혈액 소실만으로도 혈을 유지하는 보상작용이 소실 될 수있다. (성인에서는 30–40% 이상의 출혈이 있을 때 혈압이 감소한다)
- 영아는 목에서 중심 맥박을 찾기가 어려울 수 있다. 영아가 악화된 상태로 응급실을 방문하면 상완 또는 대퇴동맥을 확인한다.
- 신생아는 스트레스에 대한 교감신경 반응이 아직 발달되지 않아 미주신경 자극에 매우 취약하다. 기침, 구토 또는 흡입 등의 증상으로도 미주신경이 자극되어 혈관을 이완시키고 혈압이 떨어질 수 있다.
- 소아는 대사율(metabolic rate)이 커서 산소, 당, 수분 요구도가 높다. 영아와 어린 소아는 질병을 견딜 수 있는 생리학적 예비에너지원(저장된 글라이코젠량)이 적거나 거의 없다.
- 체중에 비해 넓은 체표면적(BSA)은 체온 조절에 영향을 주며, 체액의 불감상실(insensible losses)을 증가시킨다.
- 체내 수분의 비율이 높아(영아 체중의 75–80%는 수분) 탈수의 정도를 평가거나 필요 수액량을 계산할때 연령이 낮을수록 주의가 필요하다.
- 땀을 흘리는 등의 체액 불감상실 및 호흡수 증가 등도 탈수를 초래할 수 있다. 소아 환자의 탈수를 평가할 때 가능한 체액 손실의 모든 원인을 고려한다.

신경계

- 상대적으로 머리가 크기 때문에 작은 소아 환자는 가벼운 낙상에도 두부 손상에 취약하다. 또한 영아는 목 근육이 약하여 머리의 무게를 지탱하기 어렵다.
- 두개골 앞쪽 숫구멍(anterior fontanelle)은 약 12–18개월에 닫힌다. 숫구멍이 닫히기 전에는 두부 손상으로 혈종의 양이 증가하거나 뇌부종이 진행해도 초기에 두개내압 증가 소견이 명확하지 않을 수 있다. 보호자가 식이 감소, 구토, 과민성 및 행동변화와 같은 비특이적인 징후를 호소할 수 있다.

신장

- 소아의 신장은 시간당 1–2 ml/kg의 소변을 만드는데, 탈수가 있어도 소변을 농축시키지 못하기 때문에 소변량이 줄었다면 상당한 체액 감소가 있다고 판단해야 한다.

기타

- 면역력이 약한 3개월 미만의 영아는 패혈증(sepsis)의 위험이 증가하고, 2세 미만에서는 균혈증(bactremia)의 위험이 증가한다.
- 소아 환자가 작을수록 질병/손상에 대한 반응이 커진다.

- 문진시 환아와 부모 또는 간병인이 서로 눈을 마주 보는 의자에 앉아 면담함으로써 아이와 부모에게 안정적인 환경을 제공할 수 있다.
- 소아 환자의 체중은 26주에 400g인 신생아부터 100kg가 넘는 청소년까지 다양하다. 정확한 소아 평가 및 지속적인 치료를 위해서는 다양한 크기의 측정 장비가 구비되어 있어야 한다.
- 소아의 체중은 치료에 있어 중요한 측정지표이며 소아의 성장과 발달상태를 판단하고 섭식장애 및 비만을 식별하는 지표가 된다.

3.7   심리사회적 차이

나이	좋아하거나 싫어하는 특성
영아 0–1세	• 껴안기, 흔들기, 놀잇감, 음악, 담요 등을 좋아한다. • 울음은 불편함이나 통증에 대한 일차적인 소통 방법이다. • 대기 중 부모에게 환아를 방치하지 않도록 지도한다.
유아 1–3세	• 호기심이 많으며 뛰어다니기, 놀이, 먹는 것을 좋아한다. • 요구사항을 표현하며 산만하나 평가시 도움을 줄 수 있다. • 부모에게 환아를 잡고 있거나 안정시키도록 요청한다. • 분리에 대한 불안이 있으며 보상 스티커 등을 사용할 수 있다. • 적절한 놀이를 선택할 때까지 안전에 유의한다.
미취학 유아 3–5세	• 스티커와 게임 등을 좋아한다. • 의사 표현이 가능하므로 문진에 참여시킨다. • 어두운 것과 혼자 남겨지는 것을 두려워한다. • 적절한 장난감, 책, 게임 등을 제공하고 부모로부터 분리되지 않도록 조치한다. • 대기하는 동안 안전에 유의하고 대기실에서 가구 등에 의한 부상을 피한다.
학령기 5–12세	• 참여하기를 원하며 검사 장비를 만지는 것을 좋아한다. • 설명을 듣고 스스로 선택하는 것을 좋아한다. • 통증을 두려워하며 자제력을 잃을 수 있다. • 부모와 함께 진찰받는 것을 꺼릴 수 있다. 노출이 필요한 검사가 있다면 소아의 의견을 확인하고 보호자의 동석할 것인지 결정한다. • 대기하는 동안 주의해야할 활동 및 안전지침을 미리 알려준다.
청소년기 12세 이상	• 신체 이미지가 중요하며 단독 면담을 선호한다. • 병력 청취시 환아가 말하는 것을 방해하지 않고 안심할 수 있게 도운다. • 약물남용, 우울증, 성생활을 확인하고 사생활을 존중한다. • 정신건강 상태 문진 시 안정감을 갖도록 한다.
특수 아동	• 환아가 가장 안정되고 편안하게 느낄 수 있는 환경을 제공하기 위해 그에 대한 정보를 부모에게 얻는다. • 환아가 사용하는 생명유지장치가 잘 작동하는지 확인하고, 추가적인 영양/수액 공급의 필요한지 평가한다.

심리 사회적 평가

환아의 전신상태와 의식수준(level of consciousness)을 평가한다. 소아와의 상호작용은 소아의 지적 및 정서적 발달단계에 따라 각각 달라진다. 소아의 지적 또는 인지 능력에 대한 편견을 가지거나 소아의 신체 크기나 외형으로 환아의 반응을 미리 짐작해서는 안된다.

자극에 대한 환아의 정서적 반응을 주시한다.
- 질환이나 손상에 비해 소아의 반응이 지나치게 불안하거나 무관심하다면, 심리적으로 왜곡된 반응인지 또는 의식수준의 변화가 있는 것인지 살펴보아야 한다.
- 자폐 스펙트럼 장애 환아는 응급실처럼 익숙하지 않은 환경이나 낯선 사람, 소음, 신체 접촉을 두려워 할 수 있다.

보호자와 환아의 상호관계를 주시한다.
- 환자의 이야기/병력이 이치에 맞는가?
- 분류자가 들은 것과 본 것이 일치하는가?

장애가 있거나 만성질환이 있는 환아는 아동 학대를 당할 위험성이 더 높기 때문에 항상 보호자에게 들은 내용과 환자에서 보이는 진찰 소견이 같은지 확인해야 한다. 아동학대 분류평가 도구(FIND)의 사용을 고려할 수도 있다.

- Finding Instrument for Non-accidental Deeds (FIND) 항목을 기억하기 쉬운 방법 제안

FIND	신체검진에서 학대의심
F	Family / Fracture (가족 / 골절) (항목8. 가족관계 부적절 / 항목5. 2세 미만 머리손상/골절
I	Inconsistency (불일치) (항목2. 병력진술 불일치 / 항목3. 손상병력과 불일치
N	Neglect (방임) (항목7. 청결/위생상태 불량, 발달/성장 부진)
D	Delay / Development (지연 / 발달단계) (항목1. 지연방문 / 항목4. 발달단계 불가능 손상

| 3.8 | 첫인상 평가(Critical Look) – 소아평가 삼각형(Pediatric Assessment Triangle) |

소아의 첫인상 평가는 소아평가 삼각형(Pediatric Assessment Triangle)을 적용하여 환자의 상태를 확인한다.
- 전반적인 상태(Appearance)
- 호흡 노력(Work of Breathing)
- 순환(Circulation)

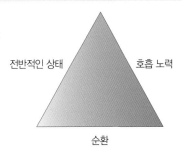

그림 3. 소아 평가 삼각형

이렇게 환자를 살펴보는데 약 3–5초 정도 걸린다. 소아평가 삼각형은 첫인상 평가의 가장 중요한 요소를 요약한 것이다. 전반적인 상태, 호흡 노력 그리고 순환 기능을 3–5초 이내로 빠르게 평가한다. 분류담당자는 소아환자가 심각하게 아프거나 갑작스럽게 악화될 위험이 있는지 "전반적인 상태, 호흡 및 순환"에 중점을 두고 신속하게 확인한다.

아이가 무의식 상태인지, 심한 호흡곤란이 있는지, 또는 쇼크 상태인지(KTAS 1)에 대한 판단은 첫인상 평가에서 명확해질 것이다(잠자는 아기는 무의식 상태와 같다–아이를 깨워보자). 아이에게 의식 변화, 중등도의 호흡곤란 또는 혈역학적 장애의 근거(KTAS 2)가 있다면 분류담당자는 좀 더 세심하게 소아 평가 삼각형을 이용한 첫인상 평가를 시행해야 한다.

- 명료하고 반응이 있는지?
- 보호자와의 상호 작용은?
- 피부색이 정상인가? 눈을 잘 뜨고 또렷하게 쳐다보는가? 목을 잘 가누는가?
- 말을 잘 하는가 또는 잘 우는가? 목소리가 맑은가, 목쉰 소리(muffled)거나 비정상인가?
- 아동이 혼자서 잘 노는지? 평소보다 기운없고 힘들어한다면 전신상태가 나빠진 것이다.
- 보호자가 소아를 달래줄 수 있는지? 심하게 울거나 평소와 다른 행동을 보인다면 통증이 심한 질환을 의심해야 한다.
- 전반적인 외모와 의복 상태는 정상인가? 청결하지 못한 외모, 냄새나는 의복, 계절에 맞지 않는 옷차림은 아동학대의 징후일 수 있다.

아이와 동반자 모두를 관찰하는 것이 중요하다. 아이의 의식이 명료한지, 반응이 있고 연령과 발달단계에 따라 환경에 맞게 상호작용하는지 관찰함으로써 분류담당자는 아이의 상태를 알 수 있다. 일상적인 활동(어떻게 노는지, 먹는지, 말하는지)을 관찰하면 소아가 위험한 상태인지를 보다 정확하게 확인할 수 있다. 잠자는 아이는 의식 수준을 평가할 수 없다. 아이를 깨워라!

예를 들면

- 눈을 뜬 채로 빤히 쳐다보면서 회색 빛깔의 늘어진 영아는 1단계(소생)이다.
- 피부가 푸르스름하고 얼룩덜룩하면서 유모차에서 잠든 유아는 1단계(소생)이다.
- 전신 강직/근대 발작은 모든 연령에서 1단계(소생)이다.
- 먹기를 거부하거나, 무관심, 무기력, 설명할 수 없는 과민함 또는 팔다리/목 근육의 힘이 손실되어 쳐진 상태의 모든 소아는 매우 걱정스러운 상태이다. 응급환자 분류에서 2단계 이상을 배정해야 하며, 패혈증, 대사장애, 독극물 섭취, 아동학대 등의 심각한 상태를 의미할 수 있다.
- 수두(chickenpox, varicella), 홍역(measles), 결핵(tuberculosis)에 걸린 소아는 즉시 격리가 필요하다.
- 혼자 과자를 먹을 수 있을 정도로 의식이 명료한 소아라면 응급환자 분류 후에 대기시킬 수 있다.
- 기저귀와 티셔츠만 입은 아이는 더운 여름에는 이상하지 않지만, 눈 내리는 추운 날에는 이상하게 생각해야 한다. 분류담당자는 아동학대와 방임의 가능성을 항상 염두에 두어야 한다. 물론 부모/보모가 아이가 위급하다고 생각해서 소아의 옷을 입히지 않은 채로 응급실로 급히 방문했을 수도 있다.

첫인상 평가 – 호흡 노력

양측 상, 하기도의 상태를 모두 평가한다.

- 청진기를 사용하지 않은 상태로 호기시 그렁거림, 천명음이나 협착음 같은 비정상음을 들어본다.
- 호흡수 평가 – 너무 빠름, 정상 또는 너무 느림
- 호흡 노력 평가 – 호흡 보조근 사용, 코 벌렁거림 및 흉곽 함몰
- 호흡 노력의 뚜렷한 감소가 있는 경우, 생명을 위협하는 상황인지 반드시 살펴봐야 한다.

첫인상 평가 – 순환

피부색 및 체온 평가 – 피부가 차갑거나 청색 혹은 혈관이 확장되어 얼룩덜룩하게 보인다면 순환 이상이 있는 상태이다.

- 멈추지 않는 출혈이 있는지 확인한다.
- 탈수의 징후를 찾는다 – 함몰된 천문 또는 안구, 최근의 체중감소, 건조한 점막, 눈물의 상실.
- 정상적인 모세혈관 재충혈(capillary refill) 시간은 2초 이하이다.
- 뇌관류 혈액량이 감소하면 의식 수준의 변화가 생길 수 있다.

영아 또는 소아의 심박수가 정상보다 느리면 심폐기능허탈(cardiorespiratory collapse)이 임박했음을 나타낼 수 있다. 당신은 첫인상 평가로 환자를 KTAS 1단계나 2단계로 배정할 수 있다. 이러한 심각한 환자는 즉시 응급실 치료구역으로 옮겨야 한다. 만약 첫인상 평가에서 위중한 상태의 소아가 아니라고 판단되면, KTAS 단계를 배정하는데 추가적인 증상 및 활력징후 확인이 필요하다.

소아 환자를 평가할 때 명심해야 할 최종 팁들 :
- ☑ 자고 있는 아기들은 의식없는 아기와 같다 – 깨워라!
- ☑ 소아의 머리와 몸통을 관찰한다 – 벗겨라!
- ☑ 소아 환자를 진찰하기 전에 면담부터 하라.
- ☑ 부모와 주양육자의 이야기를 듣는다 – 환아에 대해 가장 잘 알고 있는 정보 제공자이기 때문에 소아 환자의 행동과 생리적 상태의 미묘한 변화조차도 알아챌 수 있다.
- ☑ 질병/손상에 대하여 보호자가 심각하게 생각하는지를 확인하라.
- ☑ 통증을 유발하는 침습적인 검사나 진찰은 평가의 가장 마지막에, 별도의 공간으로 부모와 환아를 함께 데려가서 시행한다.

3.9   현재 호소증상

정확한 응급도 평가를 위해 병력확인은 사실에만 근거한다. 응급환자 분류시 이루어지는 병력청취는 의사의 병력청취를 대신할 수 없다. 숙련된 분류담당자는 좀 더 상세한 병력청취가 필요한지 판단한다.

- 흔히 호소하는 증상이 성인과 소아에서 매우 다를 수 있다.
- 증상이 소아의 상태를 정확하게 반영하지 못하는 경우가 있다.
- 소아의 흔한 다섯가지 증상은 다음과 같다.

- 열
- 호흡 곤란
- 구토 혹은 설사(탈수)
- 손상
- 행동의 변화

소아의 특이적인 주증상은 아래의 표와 같다.

분류	주증상
소화기계	이물질 삼킴 신생아의 수유 곤란 신생아 황달
정신건강	환아의 안녕에 대한 고려(성적 학대, 심리적 학대, 방임, 방치)* 소아의 파괴적 행동
근골격계	소아의 보행 장애 / 보행시 통증
신경계	축 늘어진 소아
호흡기계	상기도 협착음 천명음 – 다른 증상 호소 없음 영아 무호흡 발작(apneic spells)
일반	소아의 선천적 문제 방금 태어난 신생아**

* 환자의 안녕에 대한 고려는 성 학대, 노인학대, 정서 학대, 방임 등의 사회적인 문제들을 포함하고 성인에서도 적용 가능하다.

** 방금 태어난 아이는 집이나 병원에 오는 길 또는 응급실에서 태어난 아이를 말한다. 자동으로 KTAS 2가 되며 활력징후 등을 평가하여 KTAS 1로 상향 조정될 수 있다.

3.10   주관적인 평가

소아의 면담 방법은 환자의 연령에 따라 달라진다. 아래의 표는 나이별 면담의 방법이다.

나이별 그룹	면담 방법
영아	보호자에게 질문한다. 보호자가 환아를 안은 채 면담을 진행한다. 체온 및 혈압 측정과 같은 침습적 처치를 마지막으로 수행한다.
유아	보호자가 안고 있는 환아를 관찰한다. 환아가 놀고 상호작용하는 것을 주시한다. 침습적 처치를 마지막으로 수행한다.
학령전기	환아의 눈높이에 맞는 언어를 사용하며 병력청취에 참여시킨다. 침습적 처치를 마지막으로 수행한다.
학령기 및 청소년기	환아의 눈높이에 맞는 언어를 사용하며 면담에 참여시킨다. 사생활 보호가 중요한 연령군임을 기억한다.

소아의 증상은 CIAMPEDS* 의 분류에 따라 평가할 수 있다. 특히 어린 소아에서는 CIAMPEDS 의 모든 정보가 필요할 수 있다. 만약 동반 질환이 있다면 추가적인 질문이 필요하다. 소아가 어려서 본인의 상태를 잘 설명하지 못하는 경우에는 증상이 일상 생활을 방해하는 정도, 식이 습관, 행동/성격 등을 확인하여 응급도를 보다 정확하게 추정할 수 있다.

C	주요 호소증상 (Complaint)	환아가 표현하는 증상과 KTAS 주증상 카테고리를 적는다.
I	예방접종/격리 (Immunization/Isolation)	일반적인 예방접종 유무를 확인한다. 그리고 격리가 필요한지 평가한다.
A	알러지 (Allergies)	알레르기 병력을 확인한다.
M	약물 (Medications)	모든 약물/비타민/동종요법제 (Homeopathic remedy)
P	부모/질병/과거력 (Parents/Perception/Past History)	가족으로부터 정보를 얻는다. 아이들의 과거 건강상태, 현재 상태, 오늘 응급실에 방문한 이유에 대해 보호자에게 확인한다.
E	사건 (Events)	질병이나 손상과 관계된 사건에 대해 질문한다. 환아와 보호자에게 무슨 일이 있었는지 질문한다.
D	식이/기저귀 (Diet/Diapers)	환아가 언제 그리고 무엇을 마지막으로 먹었는지 확인한다. 마지막 소변/대변 등의 배설 상태를 확인한다.
S	증상 (Symptoms)	질병이나 손상과 함께 시작된 증상을 확인한다.

응급 간호사 연합 ENPC 제공 매뉴얼(2004) 3rd 판.

*CIAMPEDS. Complaint, Immunization/Isolation, Allergies, Medications, Parents/Perception/Past History, Events, Diet/Diapers, Symptoms의 약어

3.11   활력 징후 – 생리학적 평가

- 호흡수와 노력
- 심박수와 순환 상태 (모세혈관 재충전 시간)
- 외모/신경학적 평가
- 소아가 바로 치료실로 가지 않고 대기한다면, 분류 결과를 반드시 기록해야 한다.
- 안정적인 환자는 체온을 측정하고 기록한다.

　활력징후는 응급실을 방문하는 모든 소아 환자들에게 측정한다. 활력징후 측정 시기는 환자의 상태에 따라 다르다. 1단계 혹은 2단계 중증 환자는 급한 치료를 시행하면서 활력징후를 측정한다. 3단계 환자는 KTAS 단계를 정하기 위해 활력징후를 측정한다.

　1단계 혹은 2단계 환자는 병력 청취나 활력징후를 기록하기 위해서 치료가 지연되면 안 된다. 쇼크나 심각한 호흡장애, 혹은 무의식(KTAS 1단계) 상태는 자세한 병력 청취나 활력징후 측정을 하지 않고, 첫인상 평가만으로 확인한다. 혈역학적으로 불안정하거나, 중등도의 호흡장애 혹은 의식상태의 변화(KTAS 2단계)가 있는 소아는 소아평가 삼각형을 이용해서 첫인상 평가를 한다. 이 경우에도 활력징후 전체를 사용하는 경우는 거의 없다.

3.11.1   활력징후 측정 및 평가(1차 고려사항)

- 환아가 조용할 때 활력징후 측정을 시도하라.
- 정상 활력징후는 개개인의 연령, 발달과 신체적 상태에 따라 다르다.

　활력징후가 정상일 때는 환아의 전반적인 상태가 정상인지 확인해야 한다. 환아가 아파 보이는데 활력징후가 정상이라면 활력징후가 악화되는 과정으로 보아야 한다. 보상기전에 의해서도 맥박 혈압 호흡수가 유지되지 않는 심각한 상태일 수 있다. (소아의 활력징후 Appendix G)

활력 징후와 KTAS 단계의 관계
- KTAS 1단계(소생) – 소아가 정상 범주에서 3 표준편차 이상 밖에 있는 경우
- KTAS 2단계(긴급) – 소아가 정상 범주에서 2 표준편차 이상 밖에 있는 경우
- KTAS 3단계(응급) – 소아가 정상 범주에서 1 표준편차 이상 밖에 있는 경우
- KTAS 4단계(준응급) 혹은 KTAS 5단계(비응급) – 정상 범위의 활력징후여야만 한다.

　생리학적 지표들을 평가할 때, 응급환자 분류담당자는 반드시 소아의 전반적인 상태를 고려해야 한다.

1. 호흡수와 호흡 노력의 평가

호흡 노력을 평가하기 위해, 당신은 소아의 기도와 호흡 양상을 진찰해야 한다. 여기에는 다음과 같은 것들이 포함된다.

- 환아의 머리부터 가슴까지 노출시키고 기도를 평가한다.
- 호흡수를 측정한다.
- 호흡 보조근을 사용하는지, 적절하게 공기가 잘 들어가는지, 비정상적인 호흡음이 있는지 확인하는 것을 포함하여 호흡 노력을 평가한다.
- 환아가 양손을 짚고 앉아 숨을 몰아쉬는 자세(tripod position)이거나, 침을 흘리고(영아기 이후), 언어장애 또는 비정상 호흡음이 있거나, 기도를 열기위해 고개를 젖히고 턱을 들어올리는 자세(냄새 맡는 자세, sniffing position)를 취하는 경우 기도부종, 크룹, 이물 등에 의한 상기도 폐쇄질환을 의심한다.
- 공기가 잘 들어가는지, 비정상적인 호흡음이 있는지 청진한다.
- 호흡수를 측정해 연령에 따른 정상 호흡수와 비교한다. (Appendix G를 참조)

다음의 표는 주관적 혹은 객관적인 호흡부전의 정도를 평가하는데 도움을 준다.

호흡곤란의 증상	호흡수 (부록 참조)	산소포화도	KTAS
중증 : 과도한 호흡 노력, 청색증; 혼수, 착란, 보호자를 알아보지 못함, 통증 반응 감소, 한 단어로만 말할 수 있거나 말을 할 수 없음; 빈맥 또는 서맥; 빈호흡 또는 느린 호흡, 무호흡, 불규칙한 호흡; 심한 흉부함몰, 코 벌렁임; 그렁거림; 호흡음의 감소 혹은 소실; 상부기도 폐쇄 (연하곤란, 침흘림, 목소리 감소, 힘든 호흡과 협착음); 기도 유지 불가(기침이나 구역질 반사가 약함); 약한 근육 긴장도	정상범위에서 3 표준편차 이상 변화	<90%	1
중등도 : 증가된 호흡 노력, 안절부절못함, 불안, 공격성; 빈호흡; 과호흡; 경도의 호흡 보조근 사용, 흉부 함몰, 코 벌렁임, 구문이나 끊어진 문장으로 말할 수 있음, 협착음이 들리나 기도는 유지됨, 길어진 호기 시간	정상범위에서 2 표준편차 이상 변화	90–92%	2
경증 : 호흡곤란; 빈호흡; 운동시 숨참; 명백한 호흡 노력 증가가 없음; 완전한 문장으로 말할 수 있음; 협착음이 있으나 명백한 기도 폐쇄는 없음; 잦은 기침 (단, 산소포화도가 92–94% 이더라도 무증상이라면 4,5단계로 분류한다.)	정상범위에서 1 표준편차 이상 변화	92–94%	3
없음	정상 범위	>94%	4, 5

산소 포화도 평가

산소포화도는 센서 위치가 움직이거나, 측정 부위가 차갑거나, 밝은 빛이 센서에 비추어지거나, 고도가 높은 지역인 경우에서 잘 측정되지 않거나 급격히 감소할 수 있어 해석에 주의해야 한다. 환자 상태가 급격히 나빠진 경우에도 측정되지 않거나 감소할 수 있어, 환아의 상태를 보면서 산소포화도를 해석해야 한다.

산소포화도 측정의 일반적인 적응증은 다음을 포함한다.

- 심질환, 혹은 폐질환을 가진 소아
- 비정상 호흡 또는 심혈관 이상 소견이 있는 소아
- 증상 완화 치료 시행 전후에 의료지침 / 관리계획 / 표준 프로토콜상에서 측정이 필요한 경우
- **KTAS1단계나 2단계로 분류된 환아는 상태가 악화되어 산소포화도 측정이 안 될 수 있다. 활력징후를 측정하기 위해서 급한 치료를 지연해서는 절대로 안 된다.**

소아의 경우 산소포화도를 측정하는 것이 어려운 경우가 많으며 관찰 가능한 증상에만 의존해야 할 수도 있다. 최고호기유속(PEFR, Peak Expiratory Flow Rate)은 환자 분류 단계에서 적용하기가 어려워 분류 후 응급실에서 천식 치료 프로토콜에 따라 측정하는 것이 낫다. (그래서 이에 대한 내용을 환자 분류를 위한 소아 호흡곤란 분류표에서 삭제함)

2. 심박수와 순환 평가

순환 평가는 다음을 포함한다.

- 심박수
- 말초맥박(peripheral pulse)이 만져지는지
- 모세혈관 재충전 시간이 정상인지 (2초 이내)
- 피부색, 피부 촉감 평가(따뜻함/홍조, 서늘함/차가움, 습함/건조함)
- 멈추지 않는 출혈이 있는지 확인
- 연령에 기반한 생체 징후 차트를 사용(Appendix G를 참고)

빈맥은 쇼크에서 나타나는 초기 반응이다. 서맥과 저혈압은 쇼크의 후기 반응이며 심정지가 임박했음을 나타낸다. 탈수와 저혈량은 소아의 생명을 위태롭게 할 수 있다. 분류담당자는 관류 상태 변화시 나타나는 심각하거나 생명을 위태롭게 하는 증상과 징후를 인식할 수 있어야 한다.

혈역학적 안정성

분류담당자는 변화된 관류 상태로 인해 심각하거나 생명을 위태롭게 하는 징후를 인식할 수 있어야 한다.

혈역학적 상태	심박수 (부록 참조)	KTAS
쇼크 : 중증 종말 기관(end-organ) 순환부전의 증거 매우 창백함, 차가운 피부, 발한, 약한 맥박, 저혈압, 체위성 실신, 심각한 빈맥 또는 서맥, 효과적이지 못한 환기 또는 산소화, 의식수준의 저하, 패혈성 쇼크처럼 홍조를 띠고 열이 나며 아파 보이는(toxic) 경우	정상 범위에서 3 표준편차 이상 변화	1
혈역학적 장애 : 경계성(borderline) 관류의 증거 모세혈관 재충혈 시간 지연, 빈맥, 부적절한 조직 관류를 시사하는 소변량 감소와 피부 변화, 소아에서는 위장관 감염으로 인한 구토와 설사가 흔한 원인이지만, 더 어린 소아에서는 탈수 징후를 항상 믿을 수 있는 것은 아님. 소아의 혈압 유지 능력에 따라 중등도 외상에 따른 출혈이 겉으로 드러나지 않을 수 있음.	정상 범위에서 2 표준편차 이상 변화	2
비정상 활력징후와 동반된 체액량 부족	정상 범위에서 1 표준편차 이상 변화	3
정상 활력징후	정상 범위	4,5

3. 의식수준

- 전반적인 상태/신경학적 평가: 전반적인 상태와 의식수준을 검사하라.
- 자극에 대한 소아의 반응에 주목한다. 환아가 달랠 수 없을 정도로 울거나 화내는 등 격한 감정 반응을 보이거나, 불안해하거나, 오히려 무관심하다면 의식 수준의 변화가 있는지 살펴보아야 한다.
- 보호자/소아의 상호작용을 지켜본다. 병력과 환아 상태가 일치하는가? 항상 보호자에게 들은 내용과 환아에서 보이는 진찰 소견이 같은지 확인해야 한다.

의식 평가에는 소아 글라스고우 혼수척도(Pediatric Glasgow Coma Scale, PGCS)를 사용하는 것을 추천한다. (Appendix E)

의식 수준의 변화의 잠재적 원인은 무엇인가?

- 저산소증
- 약물
- 쇼크
- 손상
- 저혈당
- 패혈증

무엇으로 의식수준의 변화를 의심할 수 있는가?

- 보호자를 인지하지 못함
- 안절부절 못함
- 불안
- 달랠 수 없음

- 환경에 대한 반응이 감소함
- 착란
- 무관심

환아의 상황이 이해가 되는가? 보고 들은 것과 일치하는가? 항상 아동학대에 대한 가능성을 염두에 두어야 한다. 신경학적 장애의 원인이 명확하지 않다면 추가적인 검사가 필요하다.

소아 글라스고우 혼수 계수(Pediatric Glasgow Coma Scale, PGCS)를 이용한 의식 평가

- 응급환자 분류시 의식 수준의 평가는 뇌기능에 대한 중요한 정보를 제공한다. PGCS를 이용하여 질적인 뇌의 기능을 쉽게 평가할 수 있다. 이는 주로 두부외상 환자에서만 타당성이 입증되었지만, 의료진들 사이에서 의식 수준을 판단하는 정보를 전달하는 보편적인 수단으로 인식되어 왔다.
- 3-8 점은 중증 손상이나 기능의 상실을 의미하며 자동으로 KTAS 1단계로 배정된다. GCS 9-13점은 뇌 기능 장애를 의미하고 KTAS 2단계를 배정한다.
- 인지기능 장애, 만성적인 신경학적 기능장애 환자들은 점수를 적용하기 어렵다. 기저(baseline) 상태의 기능을 확인한 후 환자가 기저상태에서 어떤 변화가 있는지 확인하자.

의식 수준―상태(status)	GCS	AVPU*	KTAS
무의식 : 반응없음; 통증이나 큰 소음에 반응하나 의미없는 움직임만 보임; 굴곡(flexion) 또는 신전(extension) 자세; 지속되는 발작; 의식수준의 지속적 악화; 기도를 유지할 수 없는 상태	3-8	U	1
의식수준의 변화 : 평소 의식 수준에서 변화를 보일 때; 기면; 둔감(obtunded); 통증 자극에 국소적 반응; 착란; 지남력 없음; 안절부절못함; 과민함; 초조함 혹은 공격적임; 달랠 수 없고 잘 먹지 않는 영아의 경우; 기도유지는 가능함; 명료하지만 평소보다 활력징후나 행동에 경미한 변화가 동반된 경우	9-13	V/P	2
의식 있음 : 깨어있는 상태, 사람, 장소, 시간에 대한 지남력이 있음; 연령에 알맞은 상호 작용(예: 영아의 옹알이); 달랠 수 있음	14-15	A	3-5

*AVPU: Alert/Verbal response/Pain response/Unresponsive

- 환자의 PGCS 점수가 낮아진다면, 환자의 전반적인 상태도 나빠질수 이 있다(예: PGCS 13점에서 30분후 11점으로 악화). 반복적인 평가를 통해 영아/소아가 기도를 유지할 수 없는 상태가 되기 전에 위험을 예상할 수 있다.

4. 체온 평가

- 분류시 다른 활력 징후가 안정적일 때 체온 측정을 시도한다
- 체온의 변화는 신생아나 면역이 저하된 소아에서 생명이 위험한 상태를 의미할 수 있다.
- 감염이 의심되는 소아 환자에서 체온 평가가 필요하다.
- 소아의 체중은 이후의 진료를 위해 필요하지만, 이러한 평가는 뒤로 미룰 수도 있다.
- 대기시간이 길어지면 해열제, 탈수방지 물약 처방과 같은 치료 프로토콜이 필요하다.

체온 측정 방법은 아래와 같이 추천한다.

연 령	추천하는 방법
<30일	일차 선택 : 겨드랑이
30일–2세	일차 선택 : 직장(확진 검사) 이차 선택 : 겨드랑이(선별검사, 저위험 환아에게)
2세–5세	일차 선택 : 직장(확진 검사) 이차 선택 : 겨드랑이, 고막, 측두(관자)동맥(선별검사)
5세 이상	일차 선택 : 구강(확진 검사) 이차 선택 : 겨드랑이, 고막, 측두(관자)동맥(선별검사)

Adapted from Tables 2: Community Paediatrics Committee, Canadian Paediatric Society (CPS). Temperature Measurement in Paediatrics [position statement]. Paediatric Child Health; 2017 update. Reprinted with permission of CPS.

응급환자 분류에서 체온 평가를 위해 덜 침습적인 장치가 몇 가지가 채택되었다. 연구 결과에 따르면 측두(관자)동맥으로 측정하는 체온 선별검사는 가장 덜 침습적이고 부모로부터 가장 쉽게 받아들여지는 방법이다. 측두동맥에서 37.7℃로 측정되는 것은 직장 체온으로 38℃ 측정되는 것과 일치한다. 2015년 ENA(emergency nurses association) 임상진료지침 위원회에서는 문헌검토를 통해 어린이에서 직장 체온과 성인에서의 구강 체온이 중심체온을 가장 잘 반영할 수 있는 경로임을 확인했다. 측두동맥 체온 측정은 가장 빠르고 간단하며 환자가 편하게 받아들일 수 있지만, 아직까지는 연구가 부족해서 사용을 권장할만한 충분한 증거가 있지 않다. 만약 측두동맥 체온계를 사용했을 경우, 측정 결과가 환자의 병력이나 전반적인 상태 등과 맞지 않는 경우는 어린 아이에서는 직장 체온, 청소년 또는 어른에서는 구강 체온으로 재확인할 것을 권고한다.

직장 체온 측정은 여전히 2세 미만의 모든 어린이에게 확진 검사로 추천된다. 그러나 신생아나 면역이 억제된 소아에서는 직장 체온을 측정해서는 안 된다. 신생아는 직장 열상의 위험이 크고, 면역이 저하되어 있어 감염이 발생할 위험에 놓여 있다. 또한 면역이 억제된 환아에서는 패혈증이나 중증 감염의 위험이 크다. 이러한 환자들은 겨드랑이 체온 측정이 선별검사 방법으로 적절하다. 단, 감염의 위험이나 기타 상황 등을 고려하여 각 의료 기관별로 전문 의료진과 상의 후 적절한 체온 측정도구를 선택할 수 있다.

면역이 억제된 환아, 예를 들어 암환자는 패혈증이 발생했을 때 다른 증상없이 미열만 나타날 수 있다. 신생아, 영아 및 신경학적 장애 또는 손상이 있는 환아에서는 패혈증일 때 오히려 저체온이 발생할 수도 있다. 일반적으로, 장애가 있는 소아의 보호자들은 아이의 패혈증 증상과 징후를 더 잘 알아차릴 수 있기 때문에 그들의 말에 귀를 기울여야 한다. 여러 연구에서 보호자 촉진에 의한 체온 측정의 정확성이 보고되었기에 열이 있었다는 보호자의 모든 의견을 진지하게 받아들여야 한다. 체온이 증가할 때 심박수가 얼마나 증가하는지에 대한 무작위 통제연구는 없지만, 일반적으로 체온이 1℃ 증가할 때 소아의 심박수가 10–15회/분 이상으로 증가하진 않는 것으로 알려져 있다. 호흡수는 체온에 따른 변화가 명확하지 않다.

체온이 비정상이면 (높거나 낮은 경우) 체온으로 KTAS 단계를 정할 수 있다.

연령	체온	증상	KTAS
0–3개월	≥38℃ or <36.0℃		2
전연령대	≥38℃ or <36.0℃	면역 저하 상태 (중성구감소증, 장기이식, 스테로이드 사용)	2
3개월–18개월	≥38℃	아파 보임	2
		건강해 보임	3
>18개월	≥38℃	아파 보임 – 호흡수, 심박수 고려	3
		건강해 보임	4

- KTAS의 근간이 된 CTAS 개정판에서 일반적인 소아예방접종이 완료되는 연령을 기준으로 발열 기준을 변경하였다. 예방접종을 맞는 소아가 많을수록 중증 발열 소아환자도 감소한다.
- 열이 있고 아파 보이는 환자란 홍조가 있거나 과역동상태 (hyperdynamic state)이며 불안, 흥분, 착란 상태의 환자를 의미한다. (쳐지는 모습을 보이는 경우 의식을 평가하여 분류)
- 열이 있지만 건강해 보이는 환자란, 편안해 보이며 아파하거나 쳐지는 힘들어하는 모습 없이 정상 맥박수, 호흡수에 정신이 또렷하며 지남력이 보존된 환자를 말한다.

3.12 비생리학적 지표들

호소증상과 병력청취(CIAMPEDS)와 함께 다음 고려사항을 이용하여 KTAS 단계를 결정할 수 있다.
- 통증
- 출혈성질환
- 사고기전

1. 소아의 통증 평가

연령과 발달단계에 적합한 통증척도는 통증으로 내원한 모든 소아에 적용되어야 한다. 통증척도가 절대적인 것은 아니다. 하지만, 환자가 자신의 관점에서 통증을 표현할 수 있게 해준다.

대기 시간이 길어지면 대기실에서 통증을 치료하는 지침을 만들어 통증을 줄일 수 있다. 각 기관은 응급환자 분류 시 환자의 통증 완화를 위한 환자 분류 프로토콜 / 의료지침 / 관리계획을 갖고 있어야 한다.

통증은 소아에서 정량화 할 수 있다. 정확도는 연령과 발달 단계에 따라 다르다. (Appendix F 참조)

통증의 생리학적 구분	주요 소견
급성 통증	교감신경 항진의 증상과 징후, 빈맥, 고혈압, 동공산대, 발한, 호흡수와 심박수의 증가, 혈압의 상승
만성 통증	예측되는 통증 정도에 비해 생리학적 증상과 징후가 적음
통증에 따른 행동	불안, 초조, 달랠 수 없음, 주의를 분산시킬 수 없음, 짧은 주의력, 얼굴 찡그림, 잡음/막음, 수면장애, 식욕부진, 무기력
국소적 통증을 의미하는 행동	웅크림(fetal position), 무릎을 구부리거나 폄, 귀를 잡아 당기거나 머리 흔들기, 몸의 일부분을 움직이지 않으려 함.

소아에 대한 지침은 중심성 통증과 말초성 통증을 구분하지 않는다. 소아의 통증 양상은 성인과 다르다. 예를 들어 흉통은 일반적으로 근골격계에서 발생하는 통증이다.

분류담당자는 만성과 급성 통증 그리고 일시적인 통증과 재발하는 통증을 구별할 필요가 있다. 같은 정도의 통증이라도 급성통증이 만성통증보다 응급도가 높게 분류될 수 있다.

급성 통증은 통증의 새로운 시작이며 만성통증보다 더 위험할 가능성이 있다. 만성통증은 동일한 패턴으로 반복되는 통증증후군이다.

만성 또는 재발하는 통증을 겪는 소아(예를 들어 청소년 류마티스 관절염)도 만성 통증이 있으면서 급성 통증 악화를 보일 수 있다. 만성 통증을 가진 소아는 자주 통증을 행동 변화(짜증냄, 웅크림, 처짐)로 표현하며 덜 고통스러운 것처럼 보일 수도 있다.

통증척도는 영아나 어린 소아일수록 정확하게 측정하기 어렵다. 그러나, 통증평가를 통해 질병/손상을 확인하고, 증상이 조절되는지 확인할수 있기 때문에 중요하다.

- 통증의 인식은 주관적이라서 개개인의 차이는 연령, 과거의 경험과 문화의 차이에 의해 영향을 받는다.
- 소아는 예전에 근육 주사를 맞던 기억 때문에 현재 아프지 않다고 거짓말 할 수도 있다.
- 불안이 통증과 헷갈릴수 있으며 통증을 느끼는 상황을 복잡하게 만들수도 있다.
- 환자의 통증 정도를 평가할 때 전반적인 외관과 생리적 변수들도 고려되어야만 한다. 빈맥, 창

백, 발한 등의 생리적 증상은 통증 정도의 평가에 유용하다.
- 성인에 있어서 두부, 흉부, 복부의 통증은 더 심한 질병과 관련될 수 있으며 특별한 검사들을 필요로 할 수 있다. 하지만 영아나 어린 소아는 일반적으로 이 규칙에 따르지 않는다. 소아 흉통이 위험한 질병으로 발생하는 경우는 흔하지 않다.
- 심한 통증이어도 좋은 경과를 보일 수 있다. (예, 중이염)
- 너무 어리거나 나이가 많은 경우에는 통증 평가 척도가 별로 도움되지 않는다 (신뢰도가 낮다).

통증을 기초로 한 KTAS 단계 결정은 다음 내용을 복합적으로 고려하여 정한다.
- 통증점수에 대한 환자 자신의 의견 – 경증, 중등도, 중증(Wong-Baker 혹은 a 10-point 통증척도를 사용)
- 통증의 지속시간 – 급성과 만성
- 환자의 통증 반응에 대한 응급환자 분류담당자의 객관적 평가 ; 예를 들면 통증으로 인해 환자가 얼마나 힘들어 보이는지? 그리고 생리학적 반응은 어떤지?
- FLACC (Face, Legs, Activity, Cry, Consolability) 점수는 신생아의 통증 평가에 도움이 될 수 있다.

분류담당자는 통증에 대한 환자의 주관적 표현과 통증에 대한 객관적 평가를 모두 기록해야만 한다.

환자에게 통증이 어떠냐고 물어보면 심하다 또는 참을만하다 정도로만 이야기한다. 하지만 당신이 보기에는 더 심한 통증일수도 있다. 따라서 통증에 대한 반응은 응급환자 분류담당자가 평가하는 것이 중요하다.

통증의 응급도 및 점수*	급성 VS. 만성통증	KTAS
중증 통증 (8-10)	급성	2
	만성	3
중등도 통증 (4-7)	급성	3
	만성	4
경증 통증 (1-3)	급성	4
	만성	5

2. 출혈성 질환 평가

모듈 2의 성인 4.2장에 있는 출혈성 질환편을 참조.

3. 사고기전

　분류담당자는 외상과 관련된 증상이 있는 모든 환자의 사고기전을 평가하고 기록해야 한다. 사고기전은 응급환자 분류에 필요한 정보 중 매우 중요한 요소이다. 사고기전은 어떻게 에너지가 외부로부터 환자에게 전달되었는지 기술한다(예. 전신주를 들이받아 발생한 자동차 사고 혹은 계단 아래 콘크리트 바닥에 떨어진 환자). 이 같은 사고기전은 얼마나 큰 에너지 혹은 힘이 환자의 신체와 장기에 전달되었는지 분류담당자가 판단하는데 도움이 된다.

　충격이 크면 클수록(예. 자동차 전복사고, 6m 이상에서의 낙상) 손상의 정도는 더 심각할 것이다. 자동차의 속도, 환자가 날아간 거리 그리고 사고 현장에서 환자가 발견된 자세 등은 충격의 정도와 힘이 전달된 방향을 결정하는데 도움이 된다. 해부학적, 역학적 지식이 있다면 분류담당자는 담당자는 환자의 어느 신체부위(두부, 경추부, 복부 등) 어떤 방향의 충격이 가해졌는지를 확인하고, 어떤 손상이 있을지 알아내거나 예측할 수 있다. 상황을 확실히 이해하는데 구급대원, 경찰, 환자 혹은 환자의 가족이 도움이 될 수 있다.

　분류담당자는 환경과 외상범위를 포함한 정확한 사고력을 확인해야 한다. 아래와 같은 질문이 도움이 된다.

- 환자가 몇 계단을 굴렀습니까?
- 계단 아래 환자가 넘어진 곳은 무엇으로 되어 있습니까 (콘크리트 vs. 풀밭같이 푹신한 곳)?
- 차량이 얼마나 빨리 달리고 있었습니까? 환자의 차량은 얼마나 파손되었나요? 환자는 안전벨트를 착용했나요?

　환자가 괜찮아 보여도 사고기전에 따라 위험도가 높을 수 있다. 고위험 사고기전에 의해 수상한 환자는 KTAS 2단계에 해당된다. 다음 표에 고위험 사고기전의 예를 제시하였다.

사고기전	KTAS 2
일반적 외상	• 자동차 사고 : 차량에서 튕겨져 나감, 전복, 20분 이상의 구조시간, 탑승자 공간의 중대한 함입, 동승자 사망, 40km/h 이상의 충돌(안전벨트 미착용) 혹은 60km/h 이상의 충돌(안전벨트 착용) • 오토바이 사고 : 30km/h 이상의 차량과 충돌, 특히 오토바이 운전자가 오토바이에서 튕겨져 나간 경우 • 보행자 혹은 자전거 운전자 : 10km/h 이상의 속도로 자동차와 충돌 • 추락 : >6m 혹은 5계단 • 관통상 : 두부, 경부, 몸통 혹은 팔꿈치와 무릎 근위부의 사지
두부 외상	• 자동차 사고 : 차량에서 튕겨져 나감, 안전벨트 미착용 상태로 머리를 차유리에 부딪힘 • 보행자 혹은 자전거 운전자 : 차량에 부딪힘 • 추락 : >1m 혹은 5계단 이상 • 폭행손상 : 손이나 발이 아닌 둔기를 사용한 경우
경부 외상	• 자동차 사고 : 차량에서 튕겨져 나감, 전복, 높은 속도의 사고(특히, 안전벨트 미착용) • 오토바이 사고 : 30km/h 이상의 차량과 충돌, 특히 오토바이 운전자가 튕겨져 나간 경우 • 추락 : >1m 혹은 5계단 이상 • 머리의 종축으로 충격이 가해진 경우

3.13 2차 고려사항

2차 고려사항은 보다 특이한 증상에서 적용된다. 그리고 1차 고려사항의 결과를 바탕으로 보완하기 위해서 사용한다. 또한 1차 고려사항에서 KTAS 단계가 낮지만 특이한 증상이 있을 때, 높은 KTAS 단계를 배정하기 위한 요건이 된다. (예, 혈당수치, 탈수의 정도)

다음 표는 소아에서 특이하게 관찰되는 주증상의 사례이다.

주증상	2차 고려사항	KTAS
축 늘어진 소아 (floppy child)	근긴장도가 없음, 머리를 지탱할 수 없음	2
	예상보다 뻣뻣한 근긴장도 혹은 예상보다 늘어진 근긴장도	3
소아의 보행장애 /보행시 통증	열을 동반한 보행(혹은 다리를 저는)문제	3
	보행에 어려움 호소	4
소아의 선천적 문제	빠른 악화 가능성 또는 즉시 치료의 필요성이 있는 상태이거나 확인할 수 있는 주치의 지시사항이 적힌 프로토콜(protocol letter)이 있는 경우	2
	유전 대사질환을 동반한 구토/설사, 1형 당뇨병 또는 부신기능부전증 치료가 필요한지 보호자가 확인하고 싶은 경우	3
	잠재적인 문제를 내포한 선천적 질환이 있는 안정적인 소아	4
협착음(stridor)*	기도장애	1
	현저한 협착음	2
	청진기 없이 들리는(audible) 협착음	3
영아의 무호흡 발작 (apneic spells)	응급실 도착시 무호흡 발생	1
	무호흡 또는 호흡장애를 동반한 최근의 발작	2
	무호흡증에 해당하는 발작의 과거력	3
영유아의 달랠 수 없는 울음	달랠 수 없는 영유아 – 비정상 활력징후	2
	달랠 수 없는 영유아 – 안정적 활력징후	3
	보채지만 달랠 수 있는 영유아	4
호흡기, 코의 이물질 또는 이물질 삼킴	단추형 건전지**, 무증상	3

* 협착음 고려사항의 정의
기도장애: 숨쉬기 매우 힘들어하며 협착음이 거의 들리지 않음(1단계)
현저한 협착음: 호흡시 흡기와 호기 모두에서 들리는 협착음(2단계)
청진기 없이 들리는(audible) 협착음: 휴식시에 쉽게 들을 수 있음(3단계)
** 단추형 건전지는 현재 증상이 없더라도, 파열되었을 때 부식을 일으키며 식도염과 천공이 생길수 있다. 소아에서 이물질 섭취후 사망의 중요한 원인이다.

재평가

- 진료 대기 중 환자의 상태가 변할 경우 응급환자 분류소로 찾아오도록 환자 및 보호자에게 설명한다.
- 진료 대기 환자에 대해 아래의 시간을 기준으로 재평가를 실시한다.
- KTAS 1 – 대기하지 않고 진료한다.
- KTAS 2 – 15분마다 재평가
- KTAS 3 – 30분마다 재평가
- KTAS 4 – 60분마다 재평가
- KTAS 5 – 120분마다 재평가
- 재평가기록 – 최초의 KTAS 단계는 절대 변경하지 말아야 한다. 하지만 환자의 상태가 변할 경우, 응급환자 분류 단계가 달라질 수 있고 이를 추가 기록한다.

재평가의 범위는 최초의 KTAS 단계를 결정한 증상이 무엇이었고, 환자에서 어떤 증상이 변하였는가에 달려있다. 단, 모든 고려사항을 재평가할 필요는 없으며 KTAS 단계에 영향을 줄 수 있는 부분만 고려한다.

KTAS 소아 환자 사례

사례 **1** 나이: 100일 / 성별: 여

(야간에 응급실로 100일 여자 아이가 방문. 아이는 별로 울지 않고, 어머니에게 안겨있는 상태임)

분류담당자 : 안녕하세요. 아이가 많이 아파서 오셨나요?

보호자 : 낮부터 잘 먹지를 않고 보채더니 밤이 되니까 열이 나서 왔어요.

분류담당자 : 다른 증상은 없었고요?

보호자 : 이틀 전부터 코가 막히고 잠을 잘 못 자서 어제 소아과에 다녀왔었어요.

분류담당자 : 아이 상태는 괜찮았나요? 기운 없거나 처지지는 않았어요?

보호자 : 열만 없으면 잘 놀아요.

분류담당자 : 집에서 열은 재보셨어요?

보호자 : 38도여서 병원에 왔어요.

분류담당자 : 체온하고 호흡, 맥박수 재보겠습니다.

(맥박수 170회/분, 호흡수 54, 체온 38.2℃ 측정됨)

분류담당자 : 어머니 우리 예은이는 힘들어해서 곧 진료를 보실 거에요. 저희 응급실에서는 지금 환자가 많아서 30분 정도 기다리실 수가 있어요. 그래서 우선 해열제를 드릴 테니까 한번 먹여주세요.

보호자 : 알겠습니다. 아기가 많이 아프니까, 빨리 진료 보게 해주세요.

• **선택 증상**

• **KTAS 단계 : (   ) 단계**

• **판단 근거**

사례 **2** 나이: 40개월 / 성별: 남

(응급실로 40개월 남자 아이가 방문. 아이는 울면서 보챔)

분류담당자 : 안녕하세요. 아이가 어디가 아파서 오셨나요?

보호자 : 이틀 전부터 열나고, 토해서 어제 소아과를 갔었어요. 장염이라고 하셔서 해열제하고 약을 받아왔는데요. 오늘은 아이가 더 아파해서 왔어요.

분류담당자 : 어제보다 더 안 좋아졌나요?

보호자 : 먹은 것도 없고 설사도 했어요.

분류담당자 : 먹은 것도 토하고 그러나요? 혹시 물하고 약은 먹을 수 있어요?

보호자 : 물은 먹였는데 많이 못 먹어요.

분류담당자 : 집에서 열은 났었어요?

보호자 : 40도까지 나서 해열제를 두 번 먹었어요. 오기 전에 막 부루펜 먹었습니다.

분류담당자 : 체온하고 호흡, 맥박수 재보겠습니다.

(맥박수 110회/분, 호흡수 25회/분, 체온 39.4℃ 측정됨)

분류담당자 : 어머니 우리 성원이가 많이 아파서 곧 진료를 보실 거에요. 지금 환자가 많아서 30분 정도 기다리실 수가 있어요. 지금 잘 먹지 못해서 기운이 없으니까, 탈수 막아주는 물약을 드릴 거에요. 한번 먹여주세요.

보호자 : 알겠습니다. 아기가 많이 아프니까, 빨리 진료 보게 해주세요.

• **선택 증상**

• **KTAS 단계 : (   ) 단계**

• **판단 근거**

사례 ❸ 나이: 5세 / 성별: 남

(응급실로 5세 남자 아이가 방문. 아이는 장난을 치면서 아버지를 따라 들어옴)

분류담당자 : 안녕하세요. 아이가 어디가 아파서 오셨나요?

보호자 : 애가 갑자기 귀가 아프다고 울어서 왔어요.

분류담당자 : 언제부터 그랬나요?

보호자 : 재우려고 눕혔는데 갑자기 그러네요. 혹시 귀에 뭐가 잘 못 됐는지 봐주세요.

분류담당자 : 다른 감기 증상은 없었나요?

보호자 : 콧물, 기침은 몇 일 됐어요. 소아과에서도 약 타서 먹고 있어요.

분류담당자 : 준석아 지금 귀가 많이 아파요?

남자아이 : 아파요.

(분류담당자는 남자아이가 왔다갔다하고 울지 않아서 얼굴 통증표를 기준으로 경증 (3점)으로 평가함)

분류담당자 : 아버지 준석이가 귀가 아파서 검사를 해야되는데요, 지금 다른 환자들도 기다리고 있는데, 준석이 증상이 비응급이어서 1시간 이상 기다릴 수 있어요. 제가 되도록 빨리 불러드릴 테니까 기다려주세요.

보호자 : 아니 급해서 왔는데 1시간이나 기다려요? 환자가 많지도 않은데 큰 병원이 이렇게 느리면 어떡해요?

- **선택 증상**

- **KTAS 단계 : (   ) 단계**

- **판단 근거**

사례 **4** 나이: 40개월 / 성별: 남(사례 2와 동일한 환아)

(아이가 물을 먹다가 다시 토해서 보호자가 항의함. 아이는 울지 않고 눈을 감은 채 어머니에 안겨 들어옴)

분류담당자 : 안녕하세요. 아이가 물을 못 먹고 토했어요?

보호자 : 다 토하고 힘들어해요? 이거 수액이라도 맞아야 되는 거 아니에요?

분류담당자 : 아까보다 더 안 좋아졌나요?

보호자 : 전에도 장염으로 병원 갔었는데 이렇게 기운 없는 건 처음이에요.

분류담당자 : 체온하고 호흡, 맥박수 다시 재보겠습니다.

(맥박수 100회/분, 호흡수 30회/분, 체온 40℃ 측정됨)

분류담당자 : 어머니 열이 더 높아져서 옷을 벗기고 식혀야겠어요. 저희가 미지근한 물을 준비해드릴 테니까 성원이를 닦아주시겠어요? 그리고 다른 종류의 해열제를 먹게 해볼게요. 열이 너무 높아서 안되겠어요.

어머니 : 병원에 와서 1시간이나 지났는데 물로 닦이고 해열제만 주면 어떡해요? 집에서도 그 정도는 할 수 있잖아요? 아니 환자가 많아도 아픈 사람부터 봐줘야 되는 거 아니에요?

• 선택 증상

• **KTAS** 단계 : (   ) 단계

• 판단 근거

사례 **5** 나이: 2세 / 성별: 남

(2세 남자 아이를 데리고 아버지가 진료실에 들어옴)

분류담당자 : 안녕하세요. 아이가 어디가 아파서 오셨어요?

보호자 : 머리가 찢어져서 피가 나는데 좀 봐주세요.

분류담당자 : 어떻게 하다가 다쳤어요? (상처를 살펴보니 정수리에 2cm 길이의 열상이 보이나 출혈은 멎은 상태이다. 상처가 벌어져 있지 않아 봉합 수술은 필요하지 않을 것 같다.)

보호자 : 장난감 자동차 가지고 놀다가 넘어졌어요. 테이블 모서리에 부딪힌 것 같아요.

분류담당자 : 체온하고 호흡, 맥박수 다시 재보겠습니다.

(혈압 85/60 mmHg, 맥박수 148회/분, 호흡수 38회/분 측정됨)

분류담당자 : 어머니 아이가 다칠 때 많이 울거나 정신을 잃지는 않았어요? (아이는 졸려 보인다)

보호자 : 많이 울긴 했는데, 병원에 오다가 울음도 멈췄어요. 그런데 언제까지 이렇게 세워놓을 거예요. 피나는 것부터 먼저 치료하는 거 아니에요?

• 선택 증상

• **KTAS** 단계 : (   ) 단계

• 판단 근거

모듈4

특수한 상황에서 KTAS 적용

– 2차 고려사항과 관련된 특수한 주증상들

4.1   소개

KTAS 주증상 목록은 응급환자 분류담당자가 응급실을 방문한 환자들이 호소하는 대부분의 증상들을 적절하게 선택할 수 있도록 구성되어 있다. 첫인상 평가(Critical Look)는 응급도 분류를 하기에 너무 아프거나 심각한 손상을 입은 환자가 즉시 소생실에서 적절한 치료를 받을 수 있게 한다. 1차 고려사항에서는 활력징후 이상, 통증의 정도, 출혈성 질환, 사고 기전을 평가하고 해석하여 적절한 KTAS 단계를 배정할 수 있도록 도와준다. 하지만 이외에도 일부 주증상들이 가지는 추가적인 특징을 기술하여 KTAS 분류를 좀 더 정확히 할 수 있게 하였다. 이를 2차 고려사항이라고 한다.

4.2   2차 고려사항에 해당하는 선별적인 특수 증상들

일부 선별적인 특수 증상들은 단지 하나의 증상만으로도 응급환자 분류가 가능하며, 그 증상 자체가 2차 고려사항의 역할을 한다.

이러한 증상들에서 2차 고려사항은 강제적으로 응급환자 분류 단계를 배정하는데 중요한 역할을 하는 경우가 많다.

KTAS 1 소생	• 비외상성 심정지 • 외상성 심정지 • 호흡 정지 • 발작 (지금 발작 중) • 폭력/살인 행위 (자신 혹은 타인을 해치려는 구체적인 계획이 있거나, 충동을 억제할 수 없는 상태)
KTAS 2 긴급	• 눈의 화학물질 노출 • 심계항진 / 불규칙한 심장박동 (치명적일 수 있는 부정맥의 병력이나 기록) • 실신 / 전실신 (전구증상이 없음) • 화상 (체표면적 25% 이상의 중증화상) • 동상 / 한랭손상 (사지 말단부위에 맥박이 없고 차가움) • 절단 (손가락, 발가락의 외상성 절단)
KTAS 3 응급	• 현훈 (다른 신경학적 동반 증상이 없음, 자세 변화에 의해 발생) • 사지 손상 (석고붕대가 꽉 끼어 아프고, 신경혈관 장애를 동반함.) • 혈액이나 체액에 노출 (고위험 노출) • 몸통을 포함한 다발성 외상–둔상 (장기간의 척추 고정)
KTAS 4 준응급	• 일측성의 홍조 띤 뜨거운 사지 (국소성 연조직염) • 열상/천공 (봉합 필요) • 혈변 / 흑색변 (적은 양의 직장출혈) • 성폭행 (>12시간 경과, 동반 손상 없음)
KTAS 5 비응급	• 코 막힘 • 영상 검사 / 검사실 검사 • 전염성 질환에 노출 • 청력소실 (서서히 발병)

4.3 각 주증상에 따른 2차 고려사항

2차 고려사항은 몇몇 제한된 증상에 특이적으로 적용되는 고려사항으로 환자의 응급도를 정확히 결정할 수 있도록 1차 고려사항을 보충하는 목적으로 사용할 수 있다. 또는 환자가 호소하는 어떤 증상이 1차 고려사항과 전혀 무관하거나 1차 고려사항이 해당 증상의 응급도를 분류하는데 부적절할 경우에는 응급환자 분류를 위한 절대적인 요소로 사용될 수 있다 (정신건강 관련된 증상에 관한 것이 중요한 예이다).

170개의 주증상에 따른 각각의 2차 고려사항은 따로 출간되는 KTAS 교과서에 상세히 설명되며 여기서는 2차 고려사항 중 특별히 살펴봐야 할 몇 가지를 예시를 통해 살펴 본다.

4.3.1 환경 노출

저체온증의 체온으로 KTAS 분류 단계를 정할 수 있기 때문에 이러한 환경 노출로 인한 증상에서는 중심 체온을 정확히 측정하는 것이 중요하다. 중심 체온이 32도 미만인 환자들에서는 침습적인 재가온 요법이 필요할 수 있다.

적용 가능한 KTAS 주증상으로는 저체온증, 익수 등이 있다.

체온	KTAS
< 32.0˚ C	2
32.0˚ − 35.0˚ C	3
> 35.0˚ C, 동상 없음, 정상 활력징후	4

4.3.2 20주 이상의 임신에서 산과적 합병증

임신 후기 환자에서 많은 2차 고려사항들이 적절한 KTAS 분류 단계를 배정하기 위해 개발되었고 다음 표에 요약되어 있다. 다른 응급상황과 마찬가지로 의학적 치료가 시작된 후에 최종 분류 단계가 결정될 수도 있다. 이러한 환자들은 의학적 중재를 우선 시행하고 세부적인 증상들을 명확히 확인하는 것이 필요하다. 환자와 관련된 일부 고려사항은 환자나 구급대원과의 의사소통을 통해 얻을 수 있다. 그러나 몇몇 고려사항은 KTAS 단계 결정을 위해서 의사의 검사 소견이나 태아 모니터링 결과가 필요할 수도 있다.

KTAS 주증상	2차 고려사항	KTAS
20주 이상의 임신	태아의 일부분이 보이거나 탯줄이 탈출된 경우	1
	지속되는 질 출혈	1
	발작 중 또는 발작 후 상태	1
	임신주수 >20주, 복부 관통상	1
	태동이 없음	1
	진통 (자궁수축 ≤5분)	2
	예정이 없었거나 의도치 않은 출산	2
	태동이 감소함	2
	수축기 혈압 >160 mmHg 또는 이완기 혈압 >100 mmHg	2
	두통±부종±상복부 통증±시각장애±뇌졸중 증상	2
	임신주수 >20주, 주요 복부 둔상	2
	고위험 물질의 오용	2
	진통 (자궁수축 >5분)	3
	질 출혈, 현재는 멈춤	3
	수축기 혈압 >140 mmHg 또는 이완기 혈압 >90 mmHg	3
	복부를 제외한 부위의 경증 외상	3
	양수 누출	3

Adapted from: Murray, M., Bullard, M., Grafstein, E. & CEDIS National Working Group. Revisions to the Canadian Emergency Department Triage and Acuity Scale Implementation Guidelines. Can J Emerg Med 2004; 6(6); 421–7.

4.3.3 정신건강

정신건강의 2차 고려사항들은 적절한 KTAS 분류 단계 배정을 보조하기 위해 개발되었고 그 내용이 다음 표에 요약되어 있다. 이러한 고려사항들은 분류 배정에 있어서 타당성을 갖기 위하여, 변화를 위한 후속 작업이 필요하다. 동시에 응급실 환경에서 정신 건강 환자를 잘 관리할 수 있는지를 평가하고, 안전하고 적절하게 환자를 관리할 수 있도록 필요한 물리적, 인적 자원으로 전담팀을 구성해야 한다. KTAS 주증상인 "환자의 안녕에 대한 고려"는 성학대, 노인 학대, 심리적 학대, 방임 등의 잠재적 문제들을 다루고 있다. 모든 정신건강 주증상은 "소아의 파괴적 행동"을 제외하면 전체 연령대에 걸쳐 적용 할 수 있다.

KTAS 주증상	2차 고려사항	KTAS
우울증 / 자살 / 자해	계획적인 자살 시도	2
	뚜렷한 자살 의도	2
	도주의 가능성이나 안전에 대한 위험	2
	구체적인 계획이 없는 자살 관념	3
	우울함, 자살생각은 없음	4
불안 / 위기상황	중증 불안 / 초조	2
	도주의 가능성이나 안전에 대한 위험	2
	중등도 불안 / 초조	3
	경증 불안 / 초조	4
환각 / 망상	급성 정신병	2
	중증 불안 / 초조	2
	도주의 가능성이나 안전에 대한 위험	2
	중등도 불안 / 초조 또는 편집증(paranoia)을 동반	3
	경증 불안 / 초조, 안정되어 있음	4
	만성적인 환각으로 인한 경증의 불안 / 초조	5
불면증	급성	4
	만성	5
폭력/살인행위	자신 혹은 타인을 해치려는 구체적인 계획이 있거나 충동을 억제할 수 없는 상태	1
	도주의 가능성이나 안전에 대한 위험	2
	구체적인 계획이 없는 폭력적인 생각	3
사회문제	육체적 학대, 정신적 학대, 심각한 감정적 스트레스	3
	대처하기 어려운 상태	4
	만성, 비급성 상태	5
기괴한 행동	조절 되지 않는 행동	1
	도주의 가능성이나 안전에 대한 위험	2
	조절되는 행동	3
	해를 끼치지 않은 행동	4
	만성, 비급성 상태	5
환자의 안녕에 대한 고려	싸움 또는 안전하지 않은 상황	1
	도주의 가능성이나, 학대가 반복될 위험	2
	육체적 폭행 또는 성폭행	3
	학대의 병력 / 징후	4

KTAS 주증상	2차 고려사항	KTAS
소아의 파괴적 행동	도주의 가능성이나 안전에 대한 위험, 가족의 괴로움	2
	타인, 환경과의 급성기 어려움	3
	지속적으로 문제 행동을 함	4
	만성적이며, 바뀌지 않는 행동	5

Adapted from: Bullard, M., Unger B, Spence J, Grafstein E. *Revisions to the Canadian Emergency Department Triage and Acuity Scale (CTAS) Adult Guidelines.* Can J Emerg Med 2008;10(2);136–142

정신 건강 용어	정의
자살관련용어	
자살 시도	죽으려는 의도로 인한 행동(노골적인 또는 암시적인)
자살 의도	자살로 이어질 수 있는 주관적인 생각이나 바램
자살 관념	자신의 죽음에 대한 생각, 자살에 대한 계획이나 의도의 정도에 따라 중대한 정도가 다를 수 있음
도주의 가능성이나 안전에 대한 위험	자신이나 타인에게 위협을 주는 폭력적인 환자; 조절되지 않는 분노, 안절부절 못함, 편집증(Paranoia), 또는 환각으로 이상행동을 하는 환자 자살 위험도 평가에 협조하지 않거나 할 수 없으며 도주의 위험이 있는 환자 근접 관찰의 필요한 환자 (단, 보호자가 상주하거나, 의료진과 보호자가 합의한 경우에는 "병원의 근접관찰"이 필요하지 않음.)
불안/초조 정의	
중증 불안 / 초조	빈맥과 초조함을 동반한 극도의 불안이나, 걱정 또는 근심; 극도의 흥분상태로 의료진의 협조 요청에도 진정되지 않음
중등도 불안 / 초조	명백한 불안이나, 걱정, 근심(단, 빈맥과 떨림은 없음) 초조함의 징후를 보이며 지시에 대해 일관성 있게 수행하지 못함(예를 들면, 앉거나 진정할 것을 지시했을 때 따르지만, 금방 안절부절 못하고 다시 초조해짐)
경증 불안 / 초조	가벼운 불안이나 걱정, 근심이 있지만 안심시키면 나아짐 또는 안절부절 못하지만 협조적이며 지시에 잘 따름
환각/망상 관련 정의	
급성 정신병	극도의 자기부정, 혼란, 무질서한 생각, 언어 패턴의 장애, 환청이나 환각을 현실과 구분하지 못함, 환각이나 망상으로 인한 이상한 생각, 혹은 적개심이 수반된 경우
편집증(Paranoia)	피해망상 – 몇몇 방법으로 추적당하고 있거나 독극물에 노출되어 있거나 해를 입고 있다고 생각함 관계관념 – 사람들이 자신의 얘기를 하고 있다는 믿음. 극심한 불안, 초조, 혹은 적개심이 동반될 수 있음
만성 환각	환각의 병력을 알고 있지만 최근의 양상이나 빈도, 혹은 환각으로 인한 본인의 고통의 변화가 없음
만성, 비–응급 상태	응급환자 분류 간호사가 평소 알고 있는 환자이며, 이전에도 치료가 잘 되었던 동일한 증상을 호소하거나 단순히 음식이나 따뜻한 곳, 일시적으로 쉴 곳을 찾고 있는 경우

괴이한 행동 정의	
조절되지 않는 행동	기괴하며, 지남력이 없고 비이성적인 행동, 이성과 언어에 의한 의사소통으로 조절되지 않는 행동, 환자나 타인을 육체적 위험에 빠뜨리는 행동
조절되는 행동	위협적으로 보이는 기괴하고, 비이성적인 행동을 하지만 합리적인 설득으로 통제가 가능함; 가족이나 친구가 환자와 동행하고 있음
해롭지 않은 행동	괴이한 또한 기이한 행동(최근 환자의 일반적인 동향에서 변화는 없음) 환자나 타인에게 해를 끼치지 않으며, 긴급하게 개입할 필요는 없음

Adapted from: Bullard, M., Unger B, Spence J, Grafstein E. *Revisions to the Canadian Emergency Department Triage and Acuity Scale (CTAS) Adult Guidelines.* Can J Emerg Med 2008; 10(2);136–142.

4.3.4 혈당 수치

진료까지의 대기시간이 점차 길어지면서 좀 더 응급한 환자들 중 일부에게는 혈당 측정이 필수적인 고려사항이 되었다. 당뇨가 있거나 비정상적 혈당과 연관된 증상을 호소하는 환자에게 혈당 수치는 2차 고려사항이다. 이러한 상황에서 혈당 측정은 가장 적절한 응급도 단계를 결정하는데 중요한 요소일 수 있다. 2차 고려사항에서 혈당 수치가 적용되는 증상으로는 고혈당과 저혈당, 의식수준의 변화, 혼미한 의식 상태가 있다. 의식수준의 변화, 경련, 행동의 변화로 내원하거나 혹은 이미 당뇨가 진단된 환자에 있어서 혈당 수치는 응급도를 결정하는데 도움이 될 수 있다. 응급환자 분류소에서의 혈당 측정은 안정적인 환자를 대상으로만 시행해야 한다. 불안정한 환자들은 치료구역으로 바로 이동하여야 하며 침상에서 다른 고려사항을 함께 적용하여 응급도 단계를 결정할 수 있다.

소아, 성인

2019 당뇨병 진료지침에서 저혈당의 기본적인 정의는 혈장 포도당 농도가 낮으면서(70 mg/dl 미만), 자율 신경 항진 또는 신경당 결핍 증상(neuroglycopenic symptoms)이 있고, 포도당 섭취 혹은 투여로 혈당이 정상으로 회복되면 이러한 증상이 소실되는 것을 말한다. 최근에는 1) 주의가 필요한 저혈당(혈당 54-70 mg/dl), 2) 임상적으로 명백한 저혈당(혈당 < 54 mg/dl), 3) 중증 저혈당(특정 포도당 역치수준 없음)으로 세분하기도 한다. 혈당이 70 mg/dl 미만인 주의가 필요한 저혈당에서부터 증상이 나타날 수 있다. 착란, 발한 또는 행동변화 같은 증상이 동반된 54 mg/dl 미만의 환자는 KTAS 2로 분류하지만 응급환자 분류시 저혈당 관련 증상이 없는 54 mg/dl 미만의 환자는 KTAS 3으로 분류한다.

54 mg/dl 미만의 저혈당은 심지어 건강해 보이는 1세 미만의 영아에서도 의학적인 응급 상황

(KTAS 2)임을 인식하는 것이 중요하다. 이 연령대에서는 저혈당 증상이 비특이적일 수 있으며, 미처 알지 못하는 대사장애가 있을 수도 있고 상대적으로 영아는 급성 질환이나 대사 요구도가 증가되는 상황에서 혈당을 유지하는 능력이 떨어질 수 있다. 아래 표는 1세 이하의 영아를 제외한 모든 환자에게 적용된다.

- 54 mg/dl 미만의 혈당 수치는 환자가 "무증상" 일지라도 KTAS 2단계이다.

주증상	혈당 수치	증상	KTAS
의식수준의 변화, 혼미, 고혈당, 저혈당	<54 mg/dl	증상 상관 없음	2
	54–70 mg/dl	착란, 발한, 행동 변화, 경련, 급성 국소적 신경학적 장애	2
		증상 없음	3
	>324 mg/dl	호흡곤란, 탈수, 빈호흡, 구갈, 다뇨, 위약감	2
		증상 없음	3

Adapted from: Murray, M., Bullard, M., Grafstein, E. & CEDIS National Working Group. Revisions to the Canadian Emergency Department Triage and Acuity Scale Implementation Guidelines. Can J Emerg Med 2004 6(6); 421–7.

4.3.5 탈수 정도

소아, 성인

응급환자 분류담당자는 구역, 구토, 설사, 전신 쇠약감을 주증상으로 내원하는 환자에 대해 탈수 가능성과 정도를 고려해야 한다. 특히 대기시간이 길어질 수 있는 경우 주의하여야 한다. 다음 표에서 탈수의 응급도에 대한 정의를 KTAS 단계에 따라 정리하였다. 이는 환자 상태를 바탕으로 한 1차 고려사항으로만 응급도 단계가 명확하게 결정되지 않을 경우에 적용할 수 있다.

주증상	2차 고려사항	KTAS
구역, 구토, 설사, 전신 쇠약감	중증 탈수 : 전형적 탈수 징후를 동반하는 현저한 체액소실 및 쇼크의 징후와 증상	1
	중등도 탈수 : 건조한 구강 점막, 빈맥, 피부 탄력의 감소, 배뇨량 감소	2
	경증 탈수 : 목마름이 심해지고 소변색이 진해짐, 수분섭취 감소 또는 체액손실 증가의 병력(활력징후는 정상)	3
	잠재적 탈수 : 탈수 증상은 없으나 진행중인 체액소실이 있거나 경구 수분섭취가 곤란한 경우	4

4.3.6 고혈압

소아

소아 혈압의 정상범위는 점차 증가하여 10대 후반이 되면 성인과 비슷해진다. 고혈압이 유년기에 점점 많아지고 있으나 잘 파악되지 않고 있다. 아래 그래프는 연령별 수축기 혈압을 나타내며 신장이 50 분위에 속한 소아를 대상으로 90분위수, 95분위수에 해당하는 혈압을 표현한 것이다. 만약 더 높은 혈압을 보이는 경우라면 연령과 신장에 따른 특수한 소아 참고표를 사용해야 한다.

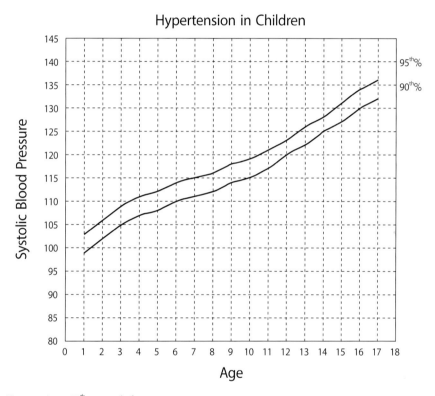

Borderline Hypertension = 90th percentile for age
Hypertension = 95th percentile for age

The Fourth Report on the Diagnosis, Evaluation and treatment of High Blood Pressure/Children and Adolescents, Pediatrics 2004;114: 555–576, 50th Percentile Height for Age

성인

혈압이 상승한 경우 상승된 정도와 기타 증상의 유무를 통해 KTAS 단계를 결정한다. 이러한 증상들은 혈압상승에 대한 2차 고려사항이 된다. 그러나 일부 KTAS 2 고혈압 환자들은 흉통이나 호흡곤란을 주호소로 표현하기도 하므로 이를 통한 평가가 더 적합한 경우도 있다. 다음 표를 참조하라.

성인 혈압	증상	KTAS
수축기혈압>220 혹은 이완기혈압>130	고혈압과 관련된 1가지 이상 증상이 동반 (예: 두통, 구역, 호흡곤란, 흉통)	2
수축기혈압>220 혹은 이완기혈압>130	기타 증상 없음	3
수축기혈압 200–220 혹은 이완기혈압 110–130	고혈압과 관련된 1가지 이상 증상이 동반 (예: 두통, 구역, 호흡곤란, 흉통)	3
수축기혈압 200–220 혹은 이완기혈압 110–130	기타 증상 없음	4, 5

Adapted from: Murray, M., Bullard, M., Grafstein, E. & CEDIS National Working Group. Revisions to the Canadian Emergency Department Triage and Acuity Scale Implementation Guidelines. Can J Emerg Med 2004; 6(6); 421–7.

4.4   응급환자 분류의 잠재적 함정들

- 소아에서 저혈량 또는 저혈압이 원인인 혈역학적 장애를 인식하지 못하는 경우
- 회음부 또는 사지의 통증이나 부종의 위험(특히 심부 조직 감염 등)을 인지하지 못하는 경우
- 내과적 또는 수술적 위험만큼이나 정신건강의학적인 증상이 응급하거나 위험할 가능성을 인지하지 못하는 경우
- 의학적 문제로 인해 기괴한 행동을 유발할 수 있음을 고려하지 못하는 경우 (예.급성 섬망)
- 사지 통증이나 손상이 있는 환자에서 신경/혈관 상태에 대한 평가를 하지 못하는 경우
- 환자에 대한 부정적인 감정이 KTAS 단계 결정에 영향을 미치는 경우
- 환자의 두려움("숨을 목 쉬겠다.", "내가 죽어가고 있다.")을 의학적인 진찰없이 단순 불안으로 생각하는 경우

만일 환자의 KTAS 단계를 높일 필요(up–triage)가 있다고 판단했을 때, 응급환자 분류담당자는 부담을 느끼지 말아야 한다. 때때로 부적절하게 분류되어 한 환자가 다른 환자보다 우선이 되는 경우가 발생한다 하더라도, 환자 안전을 위해서 "높은 단계의 응급도로 분류하는 것(up–triage)"이 필요할 때가 있다.

한 가지 기억해야 할 사실은, 소아의 경우 갑자기 쇼크에 빠지기 전까지는 혈압과 활력징후가 정상으로 유지될 수 있다는 점이다. 만일 응급환자 분류담당자가 환자를 보고, 상당한 체액의 손실(volume loss), 내부 출혈, 심장 질환 등이 의심된다면 환아를 대기하게 하지 말고, 즉시 적극적 치료구역(active treatment area)으로 옮겨야 한다.

회음부 주증상으로 방문한 환자를 분류할 때, 주의해서 살펴 보지 않으면 응급환자 분류담당자와 환자에게 모두 치명적인 위험이 될 수 있다. 괴사성 근막염이나 회음부의 푸르니에 괴사증(fournier gangrene)은 당뇨 환자에게서 가장 흔히 볼 수 있다고 알려져 있다. 하지만, 최근에는 성적 취향/행동, 늘어난 HIV나 다른 이유로 면역이 억제된 환자들, 병독성 균주 발생의 증가로 인해 환자군이 더 넓어졌다. 괴사성 근막염의 또 다른 드문 원인은 오염된 해산물이나 해수에 노출된 열린 상처로 감염된 비브리오 패혈증(Vibrio Vulnificus, 주로 어류를 취급하는 사람에게 흔함)인데, 주로 외과적 변연 절제술이 필요하다. 원인에 상관없이 '검은색' 피부의 어떤 증상/징후라도 보인다면 "면역저하 환자에서의 열"이나, "7점 이상의 심각한 급성 중심성 통증으로 up-triage (7점보다 낮은 통증이어도)하여 KTAS 단계를 2단계로 정해야 한다. 이러한 환자에게서 치료시간이 1시간 지연되면 6인치 면적의 절제 범위를 6-8배로 더 증가시킬 수 있으므로, 안정적인 환자라도 반드시 15분이내에 진료를 볼 수 있도록 해야 한다.

응급환자 분류담당자와 응급의학과 의사들은 환자가 정신건강/행동변화에 관련한 증상을 호소하는 경우에, 뇌병변 부위(외상성, 혈관성, 또는 종양에 의한), CNS감염, 섬망(감염, 약물 또는 대사성 원인에 의한)등이 원인일 가능성을 놓칠 수 있다. 이러한 경우에는 잘못된 KTAS 단계 분류의 위험이 크다는 것을 명심해야 한다. 너무 낮은 KTAS 단계로 분류되거나, 정신 건강 평가를 위해 대기하는 경우에 의학적인 평가 및 초기 치료가 지연될 수 있다.

4.5 의료 취약 지역의 병원에서 **KTAS**의 적용

도서 산간 같은 의료 취약 지역의 응급실에는 적은 인력(교대 당 직원 수가 적음), 인력 대비 많은 환자수, 지리적으로 고립된 위치 같은 어려움이 있다.

NENA(캐나다 응급간호사 협회)와 CAEP(캐나다 응급의학회)는 2002년에 발표된 CAEP 및 SRPC(캐나다 취약지 의사협회) 입장문에 제시된 절차를 수용하기 전에 취약지 기관도 공식적인 정책과 프로토콜이 있음을 강조했다.

캐나다에서는 일부 의료자원이 부족한 지역에서 CTAS 4 환자의 응급실 진료를 미룰 수 있도록 정책을 개발해 달라고 요청했지만, 이에 대해서는 아직도 더 많은 경험과 연구가 필요하다. CTAS 4 환자의 진료가 연기되어도 문제가 없게 하려면 응급환자를 분류할 때 질환별 2차 고려사항(Specific Modifier)이 완전히 배제되어야 하고 환자가 귀가했다가 다음에 다시 와도 괜찮을 정도로 활력징후가 안정적이거나 감염 양상이 진행되지 않아야 한다. 현재의 가이드라인에서 CTAS 5 환자는 다음 지침에 따라 다른 시간대나 장소에서 진료받도록 연기할 수 있다고 권고한다.

우리나라에서는 원칙적으로는 응급실에 내원한 모든 환자를 진료 없이 귀가시키지 않으며 부득이하게 의료진의 진료가 불가한 경우 이 가이드라인에 맞추어 진료를 연기할 것을 KTAS 위원회에서도 권고한다.

1) 환자의 나이가 12개월 이상이다.

2) 분류담당자가 확인할 때 활력징후가 정상이고 체온이 35 – 38.5℃(60세 이상에서 38.3℃)이다.

3) 의료진의 주의가 필요한 임상적 징후가 없다.

4) 분류담당자의 판단이 확실하지 않을 때는 의료진과 전화로 상담하여 문제가 긴급하지 않은지를 결정한다.

5) 적절한 병원정책 및 의료지침서가 마련되어 있다.

6) 의료진과 분류담당자가 이러한 결정 과정을 수락하기로 합의했다.

Adapted from: CAEP and SRPC Position Statement–Rural Implementation of KTAS; Society of Rural Physicians of Canada Emergency Committee Working Group 2002 *(Stobbe K, Dewar D, Thornton C, et al. Canadian Emergency Department Triage and Acuity Scale (KTAS): Rural Implementation Statement. CJEM 2003 Mar;5(2):104-7) and the 2007 revised statement posted on the SRPC website at http://www.srpc.ca/* .

KTAS 특수한 상황의 사례

- 2차 고려사항

사례 ① 나이: **71세** / 성별: 남

(119 타고 들어와서, 바로 환자를 침대에 옮긴 후)

분류담당자 : 어떻게 오셨어요?

환 자 : (가슴쪽을 부여잡으며) 가슴이 두근거려요.

분류담당자 : 언제부터 그랬나요?

환 자 : 오늘 아침부터 계속 그래요.

분류담당자 : 가슴이 아프진 않으세요?

보호자 : (환자 말을 가로 막으며) 아버지가 예전에 심실 세동으로 심정지가 와서 입원한 적이 있으세요.

분류담당자 : 그래요? 바로 처치와 검사 시작하겠습니다.

★ 혈압 140/80 mmHg, 맥박수 105회/분, 호흡수 16회/분, 체온 36.8℃

• 선택 증상

• **KTAS** 단계 : (   ) 단계

• 판단 근거

사례 ❷ 나이: 27세 / 성별: 남

(경찰 두명에게 붙잡혀 응급실로 들어옴)

분류담당자 : 어떻게 오셨어요?

환 자 : (경찰을 바라보며 소리지름) 이거 놔!!

보호자 : (어머니가 동행하였으며, 멀찌감치 환자에게 떨어져 있음) (울면서) 여동생을 목을 조르고요, 계속 죽이 겠다고 중얼중얼 거려요.

분류담당자 : 보호자 분 이제 진정하시고요. 원래 앓고 있는 질환이 있으신가요?

보호자 : (계속 울면서) 아니요. 원래 건강하던 아이인데, 최근 스트레스 받는 일이 많았는데, 최근 몇 주전부터 가족들에게 폭력적이고요, 욕도 서슴지 않고 너무 무서워서 신고했어요.

분류담당자 : 많이 놀라셨겠어요.

보호자 : 몇 일 전부터는 계속 여동생이 없어졌으면 좋겠다고 계속 얘기하더니 기어이 오늘처럼 목 조르고 폭력 적인 행동을 하네요.

분류담당자 : 네 울지 마시고, 저희가 치료할 수 있도록 도와드릴게요.

★ 활력징후는 측정하지 못함.

• 선택 증상

• **KTAS** 단계 : (   ) 단계

• 판단 근거

사례 ❸ 나이: 25세 / 성별: 여

(어머니랑 같이 응급실에 들어옴)

분류담당자 : 어떻게 오셨어요?

환 자 : ⋯⋯⋯⋯⋯⋯⋯ (대답을 못하고 초점이 흐림.)

보호자 : 원래 정신분열병으로 김OO 교수님께 외래 진료 보고 있고요, 오늘도 귀신이 보인다고 자꾸 그래서 왔어요.

분류담당자 : 이번에 처음 발생한 증상인가요?

보호자 : 아니요. 몇 년전 부터 자주 있었고, 응급실 와서 주사 맞고 좋아지면 퇴원하고 했었습니다.

분류담당자 : 그러면, 혹시 평소보다 더 새로운 증상이 나타난 것은 없나요?

보호자 : 네, 제가 봤을 땐 크게 변한 건 없는 것 같아요.

★ 활력징후는 정상

• 선택 증상

• KTAS 단계 : (   ) 단계

• 판단 근거

사례 ❹ 나이: 31세 / 성별: 여

분류담당자 : 어떻게 오셨어요?

환 자 : (뒤뚱거리며 의자에 앉으며) 다리가 붓고요, 머리도 지끈지끈 아파서 왔어요.

분류담당자 : 원래 앓고 있는 다른 질환은 없으세요.

환 자 : (불룩하게 나온 배를 만지며) 네, 특별한 병은 없어요.

분류담당자 : 혹시…, 임산부세요?

환 자 : 네.

분류담당자 : 몇 주 되셨나요?

환 자 : 21주에요.

분류담당자 : 임산부시라면 지금 증상 고려해서 추가적 검사를 시행해봐야 됩니다. 필요한 처치와 검사 시행하겠습니다.

★ 혈압 190/120 mmHg, 맥박수 88회/분, 호흡수 16회/분, 체온 37.1℃

• 선택 증상

• KTAS 단계 : (   ) 단계

• 판단 근거

사례 **5** 나이: **3세** / 성별: **남**

(119 통해 응급실 내원)

분류담당자 : (구급침상에 환아를 싣고 다급하게 들어오는 119대원에게) 무슨 환자에요?

구조대원 : 3세 남아구요, 20분째 계속 발작중이에요. 저희가 현장도착했을 때 10여분간 계속 발작하고 있었어요.

분류담당자 : (다른의료진에게) 먼저 활력징후 모니터링부터 해주시고, 기도 확보해주세요. (울면서 들어오고 있는 보호자에게) 애기가 예전에도 발작증상 보인 적이 있었나요?

보호자 : (울면서) 아니요.. 흑흑… 이런적은 처음…이에요.. 흑흑

분류담당자 : 진정하시고요, 저희가 얼른 검사와 치료 시작할게요.

(산소포화도 측정결과 89%가 나옴)

★ 혈압 110/70 mmHg, 맥박수 102회/분, 호흡수 30회/분, 체온 39.1℃

• 선택 증상

• **KTAS** 단계 : (   ) 단계

• 판단 근거

사례 **6** 나이: 67세 / 성별: 남

분류담당자 : 어떻게 오셨어요?

환 자 : 변에서 피가 묻어 나와서 왔어요.

분류담당자 : 양은 얼마나 되었어요?

환 자 : 많지는 않고요, 휴지에 묻어 나오는 정도였어요.

분류담당자 : 어지럽지는 않으세요? 다른 동반증상도 있었나요?

환 자 : 네, 그거 말고는 다른 증상은 없네요.

분류담당자 : 네 알겠습니다. 처치와 검사를 시행할게요.

★ 혈압 110/70 mmHg, 맥박수 80회/분, 호흡수 15회/분, 체온 36.7℃

• 선택 증상

• **KTAS** 단계 : (　　　) 단계

• 판단 근거

사례 **7** 나이: **67세** / 성별: 남

(여름 무더운 날)

분류담당자 : 어떻게 오셨어요?

환 자 : 공사장에서 일하는데 다리에 자꾸 쥐가 나서 왔어요.

분류담당자 : 언제부터 그러셨어요?, 지금도 계속 쥐가 나나요?

환 자 : 공사가 바빠서 점심도 못 먹고 계속 일하다가 오기 전부터 계속 다리에 쥐가 나는데 멈추지를 않고 아프네요.

분류담당자 : 열나거나 다른 동반증상도 있었나요?

환 자 : 일하느라 땀 많이 흘린 거 말고는 다른 문제는 없어요. 그래서 물도 계속 마셨어요.

분류담당자 : 네 알겠습니다. 처치와 검사를 시행할게요.

★ 혈압 110/70 mmHg, 맥박수 98회/분, 호흡수 22회/분, 체온 37.2℃

• 선택 증상

• **KTAS** 단계 : (   ) 단계

• 판단 근거

사례 8 나이: 25세 / 성별: 남

분류담당자 : 어떻게 오셨어요?

환 자 : 오른손에 봉와직염 있어서 치료받는데 항생제 주사 맞으러 오라고해서 왔어요.

분류담당자 : 통증은 어떠세요?, 다른 증상은 없으신가요?

환 자 : 어제보다 붓기도 감소했고 통증도 거의 없어요.

분류담당자 : 네 알겠습니다. 대기하고 계시면 확인해드리겠습니다.

★ 혈압 110/70 mmHg, 맥박수 80회/분, 호흡수 15회/분, 체온 36.7℃, 산소포화도 99%, GCS 15

• 선택 증상

• **KTAS** 단계 : (   ) 단계

• 판단 근거

사례 ❾ 나이: 67세 / 성별: 남

67세 남자환자 (COVID–19 판데믹 상황)

분류담당자 : 어떻게 오셨어요?

환 자 : 어제 식당에 방문했었는데 그 식당에. 같은 시간에 식사한 사람이 코로나 확진되었다는 연락을 받고 걱정되어 왔습니다.

분류담당자 : 기침이나 콧물, 열 등 특별한 증상이 있으세요?

환 자 : 아니요 특별한 증상은 없습니다. 주변에서 다들 검사해봐야 한다고 해서요.

분류담당자 : 네 알겠습니다. 일단 환자분은 전염질환 노출 가능성이 있어 격리 구역으로 안내해드리겠습니다.

★ 혈압 110/70 mmHg, 맥박수 80회/분, 호흡수 15회/분, 체온 36.7℃

• 선택 증상

• **KTAS 단계** : (   ) 단계

• 판단 근거

사례 ⑩ 나이: 74세 / 성별: 남

분류담당자 : 어떻게 오셨어요?

보호자 : 저희 아버님께서 전화통화하시다가 갑자기 카펫 위로 쓰러지셨었어요. 다행히 바로 일어나기는 하셨는데 걱정되어서요.

분류담당자 : 의식을 잃으셨나요? 혹시 쓰러지기 전에 불편하셨던 건 없었나요?

보호자 : 의식을 잃으셨었어요. 한 2~3초 정도? 그러다가 깨어나셨어요.

환 자 : 불편한건 없었고 통화하다가 정신을 차리니 누워있었네요. 지난주에도 한번 그랬었는데 특별히 불편한 게 없어서 병원에는 안갔었어요.

분류담당자 : 지금 불편한 건 없으세요?

환 자 : 네, 현재 특별한 증상은 없네요.(아픈 기색은 보이지 않음)

분류담당자 : 네 알겠습니다. 처치와 검사를 시행할게요.

다른 병력이나 투약력은 없음.

★ 혈압 115/74 mmHg, 맥박수 64회/분, 호흡수 18회/분, 체온 36.7℃, 산소포화도 96%, GCS 15

• 선택 증상

• KTAS 단계 : (   ) 단계

• 판단 근거

APPENDICES
(부록)

Appendix A : Acknowledgement

KTAS 위원회는 수년에 걸쳐 응급의료체계의 개선을 위해 고민하고 노력하고 지원해주신 대한응급의학회 회원 여러분과 보건복지부 관계자 여러분께 감사를 드립니다. 또한, 양해각서 체결을 통해 KTAS의 기본이 된 CTAS의 내용과 자료를 제공해준 캐나다 응급의학회(Canadian Association of Emergency Physicians)에도 감사의 말씀을 드립니다.

2012년 KTAS 개발 용역을 시작으로 2014년 타당도 및 신뢰도 검증, 2020년 온라인 교육과정을 포함한 교육과정과 교재 개발에 참여해주신 모든 연구원들과 병원 관계자 분들 및 교육 시행을 위해 수고해주신 지역별 교육팀의 위원님들과 강사 분들께 감사를 드립니다. 그리고, 응급실에서 힘들게 일하면서도 더 좋은 응급의료를 제공하 기 위해 시간을 쪼개서 KTAS 교육을 받고 응급실 현장에서 시행하시는 응급실 의료진들께 가장 큰 감사와 존경을 드립니다.

Appendix B : KTAS 주증상 카테고리 (CTAS와 비교)

1. 심혈관계	10. 임신 / 여성생식계
2. 귀	11. 눈
3. 입, 목	12. 근골격계
4. 코	13. 호흡기계
5. 환경손상	14. 피부
6. 소화기계	15. 물질오용
7. 비뇨기계 / 남성생식계	16. 몸통외상
8. 정신건강	17. 일반
9. 신경계	

1. 심혈관계

- 심정지(비외상성)
- 심정지(외상성)
- 흉통(심장성)
- 흉통(비심장성)
- 맥박이 없거나 차가운 사지
- 전신 부종
- 전신 쇠약
- 고혈압
- 다리 부기/부종
- 심계항진/불규칙한 심장박동
- 실신/전실신
- 일측성의 홍조 띤 뜨거운 사지

2. 귀

- 귀 삼출물
- 이통
- 귀 손상
- 귀 이물질
- 청력손실
- 이명

3. 입, 목

- 치아/구강문제
- 연하장애/연하곤란
- 안면통증(비외상성/비치아성)
- 안면외상
- 목의 부종/통증
- 목의 외상
- 인후통

4. 코

- 코피
- 코의 이물질
- 코막힘
- 코의 외상
- 상기도 감염증상 호소

5. 환경손상

- 화학물질 노출
- 익수
- 전기손상
- 동상/한랭손상
- 온열손상
- 저체온증
- 유해물질 흡입

6. 소화기

- 복부 종괴/팽만
- 복통
- 항문/직장/회음부 외상
- 식욕부진
- 혈변/흑색변
- 변비
- 설사
- 신생아 수유곤란
- 직장내 이물질
- 샅고랑부위 통증/종괴
- 딸국질
- 황달
- 신생아 황달
- 이물질 삼킴
- 항문/직장/회음부 통증
- 토혈
- 구토/구역

7. 비뇨기계 / 남성생식계

- 옆구리 통증
- 생식기의 분비물이나 피부병변
- 생식기의 외상

- 혈뇨
- 핍뇨증
- 음경부종
- 다뇨증
- 고환통증 또는 부종
- 소변 배출장애
- 요로감염증상
- 성폭행(남성)

8. 정신건강

- 불안/위기 상황
- 기괴한 행동
- 환자의 안녕에 대한 고려
- 우울증/자살/자해
- 환각/망상
- 불면증
- 소아의 파괴적 행동
- 사회문제
- 폭력/살인행위

9. 신경계

- 의식수준의 변화
- 착란
- 사지약화/뇌졸중 증상
- 축 늘어진 소아(Floppy child)
- 보행 장애/운동 실조/강직
- 두부 손상
- 두통
- 발작
- 감각 상실/이상 감각
- 떨림(Tremor)
- 현훈
- 기억상실

10. 임신/여성생식계

- 20주 미만의 임신
- 20주 이상의 임신
- 출산 후 문제(6주 이내)
- 질내 이물질
- 음순부종
- 월경문제
- 질출혈
- 성폭행
- 질 분비물
- 질통증/가려움
- 생식기의 외상

11. 눈

- 화학물질 노출, 눈
- 복시
- 눈통증
- 눈의 외상
- 눈의 이물질
- 안와주위 부종
- 눈부심(photophobia)
- 눈충혈, 분비물
- 시력장애

12. 근골격계

- 절단
- 목, 등, 허리 통증
- 석고붕대 확인
- 관절부종
- 하지손상
- 하지통증
- 소아 보행장애/보행시 통증
- 외상성 목, 등, 허리 손상
- 상지손상
- 상지통증

13. 호흡기계

- 알레르기 반응
- 영아의 무호흡 발작
- 기침/코막힘
- 객혈
- 과다호흡증후군
- 호흡정지
- 호흡기 이물질
- 숨참
- 협착음
- 천명음–다른 증상 호소 없음

14. 피부

- 찰과상
- 물림(bite)
- 혈액이나 체액에 노출
- 화상
- 청색증
- 이물질, 피부
- 열상/천공
- 국소성 부종/발적
- 혹, 돌기, 굳은살
- 기타 피부 상태
- 소양증
- 발진
- 유방의 발적/압통
- 스테이플/봉합사 제거
- 감염 가능성 확인
- 외상없이 저절로 멍듦
- 쏘임(sting)
- 상처 확인

15. 물질오용

- 과다복용
- 물질오용/중독
- 물질금단

16. 몸통외상

- 단독 복부외상 – 둔상
- 단독 복부외상 – 관통상
- 단독 흉부외상 – 둔상
- 단독 흉부외상 – 관통상
- 몸통을 포함한 다발성 외상 – 둔상
- 몸통을 포함한 다발성 외상 – 관통상

17. 일반

- 비정상 검사 결과
- 소아의 선천적 문제
- 전문진료를 위해서 의뢰된 환자
- 드레싱 교체
- 전염성 질환에 노출
- 열
- 고혈당
- 저혈당
- 영유아의 달랠 수 없는 울음
- 영상 검사/검사실 검사
- 의료장비 문제
- 경증 또는 비특이적 증상 호소
- 방금 태어난 신생아
- 창백함/빈혈
- 수술 후 합병증
- 처방전/투약 문의
- 반지 제거

- 2016년 개정된 CEDIS presenting complaint(CTAS) 중 눈의 재검(눈), 치료를 위한 재방문(일반)은 2020년 KTAS 주증상에서 제외됨.
- 기억상실(신경계), 성폭행(남성생식계), 생식기의 외상(여성생식계) 등은 KTAS에 추가된 주증상임.

AppendixC : 신장에 따른 최고 호기유속 (PEFR) 참고치

본인의 PEFR 최고값을 알지 못하는 경우, 신장에 따른 정상 PEFR값을 참고한다.

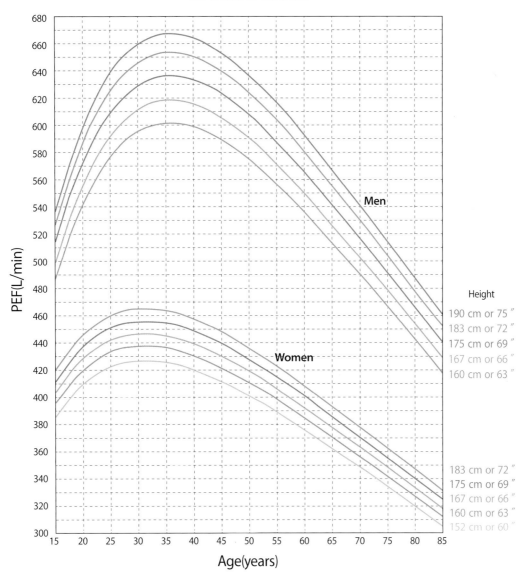

Normal values for peak expiratory flow (PEF)
EN 13826 or EU scale

Appendix D : Glasgow Coma Scale (GCS)

The Glasgow Coma Scale (GCS) was developed in the 1970's as a tool to assess neurological injuries in trauma. The tool evaluates eye opening, verbal response and motor response. The values assigned in the checklist below are summed. The lowest score is 3; the maximum is 15. Patients at triage are categorized as : unconscious 3 - 9, altered 10 - 13 or normal 14 - 15. A GCS of 10 - 13 indicates neurological dys-function and assists in making the determination of triage code. A score of 3 - 9 indicates significant injury or loss of function and automatically places the patient in the KTAS category level 1-resuscitation. Patients with dementia, cognitive impairment or chronic neurologic dysfunction make the use of the score difficult. Attempt to determine a baseline function and assess if there is any change from the patients norm.

Glasgow Coma Scale (GCS) Score

For eye opening, verbal response and motor response, check the statement that best describes the patient's level of functioning. To obtain the GCS score, sum the value of each statement.

Adult Coma Scale

Function	Score	Observation
Eye Opening	1	No eye opening
	2	Open in response to pain to limbs
	3	Eyes open in response to speech
	4	Spontaneous eye opening
Best Verbal Response	1	Intubated
	2	No verbal response
	3	Incomprehensible speech
	4	Inappropriate speech
	5	Confused conversation
	6	Orientated response
Best Motor Response	1	No response to pain
	2	Extensor posturing to pain
	3	Abnormal flexor response to pain
	4	Withdraws to pain
	5	Localizing response to pain
	6	Obeys commands

Appendix E: Paediatric Coma Scale

Function	Score	Observation		
		Age > 1 year		**Age < 1 year**
Eye Opening	4	Spontaneously		Spontaneously
	3	To verbal command		To shout
	2	To pain		To pain
	1	No response		No response
Function	**Score**	**Age > 1 year**		**Age < 1 year**
Best Motor Response (decorticate rigidity)	6	Obeys		Spontaneously
	5	Localizes pain		Localizes pain
	4	Flexion–withdrawal		Flexion–withdrawal
	3	Flexion–abnormal		
		Flexion–abnormal (decorticate rigidity)		
	2	Extension (decorticate rigidity)		Extension (decorticate rigidity)
	1	No response		No response
Function	**Score**	**Age > 5 years**	**Age 2 to 5 years**	**Age 0 to 23 months**
Best Verbal Response	5	Oriented and converses	Appropriate words/phrases	Smiles and coos appropriately
	4	Disoriented and converses	Inappropriate words	Cries and is consolable
	3	Inappropriate words	Persistent cries and/screams	Persistent, inappropriate crying and/or screaming
	2	Incomprehensible sounds	Grunts	Grunts, agitated, and restless
	1	No response	No response	No response

Emergency Nurses Association ENPC provider manual : 2nd edition (1998)

Appendix F : Paediatric Pain Scales

Pain Word Scale

Description :

The 4-point word scale is a self-report tool which is useful when assessing procedural, acute and chronic pain.

Patient Population :

Preschool children. May also be useful in order children who an unable to use more complicated scales, such as the Faces Pain Scale – revised, or the Numerical Rating Scale. Children need to understand the concepts of classification and seriation. They must also have the sufficient language comprehension & production, and understanding of emotional states.

Instructions :

Ask the child to classify his/her pain into one of four categories : "none", "a little", "medium" or "a lot". *"How much hurt/sore/pain are you having – none, a little, a medium, or a lot?"*

---

0 – 10 Numerical Rating Scale (NRS)

Description :

The Numerical Rating Scale (NRS) is a self-report tool which is useful when assessing procedural, acute and chronic pain.

Patient Population :

School aged children and adolescents. Children must be capable of counting up to 10 and understand the concepts of classification and seriation. They must also have sufficient language comprehension & production, and understanding of emotional states.

Instructions :

• Ask the child/adolescent to assign a number to his/her pain with 10 representing no pain/hurt and 10 representing the worst pain ever.

• *"If 0 is no pain or hurt and 10 is the worst pain imaginable, how much pain or hurt are you having now"*

Faces Pain Scale – Revised

Description :

The Faces Pain Scale – revised (FPS–R) is a self–report tool which is useful when assessing procedural, acute and chronic pain.

Patient Population :

Preschool and school aged children. Children need to understand the concepts of classification and seriation. They must also have sufficient language comprehension & production, and understanding of emotional states.

Instructions :

• Ask the child to indicate which face indicates how much hurt or pain they are feeling. Do not use words like 'happy' and 'sad'. This scale is intended to measure how children feel inside, not how their face looks.

• *"These faces show how much something can hurt. This face {point to left-most face} shows no pain. The faces more and more pain {point to each from left to right} up to this one {point to right-most face} – it shows very much pain. Point to the face that shows how you hurt {right now}"*

Score the chosen face 0, 2, 4, 6, 8, 10 counting left to right so 0 = no pain and 10 = very much pain.

FLACC

Description :

The FLACC is a behavioural observational tool for acute pain.

Patient population :

Infants, toddlers, preschool children. May also be useful for cognitively impaired children & adolescents.

Instructions :

Observe infant/child, and note score for each category. Sum of all categories will give score out of maximum 10.

Categories	0	1	2
Face	No particular expression or smile	Occasional grimace or frown, withdrawn, disinterested	Frequent to constant quivering chin, clenched jaw
Legs	Normal position or relaxed	Uneasy, restless, tense	Kicking or legs drawn up
Activity	Lying quietly, normal position, moves easily	Squirming, shifting back and forth, tense	Arched, rigid or jerking
Cry	No cry (awake or asleep)	Moans or whimpers, occasional complaint	Crying steadily, screams or sobs, frequent complaints
Consolability	Content, relaxed	Reassured by occasional touching, hugging or being talked to, distracted	Difficult to console or comfort

Reference : Merkel, S.L., Voepel-Lewis, T., Shayeviz, J.R., &Malviya, S. The FLACC : A behavioral scale for scoring postoperative pain in young children. Paediatric Nursing 1997;23 : 293-297.

Appendix G : Normal Vitals and Standard Deviations

Children triaged as KTAS 1 (Resuscitation) or KTAS 2 (Emergent) should never be delayed at triage to complete history or measurement of vital signs to confirm their triage level.

These tables and graphs are provided as reference guidelines to assist in the assignment of an appropriate triage score, however, they should be applied consistent with the definitions for **severe**, **moderate**, *and* **mild** *respiratory distress; and* **shock** *and* **hemodynamiccompromise**, *as previously learnt, before making a final decision.*

Strongly recommended to post these charts in all triage and assessment areas.

(**When in doubt** – **triage up!**)

Respiratory Rate

Age	Level 1	Level 2	Level 3	Level 4 & 5	Level 3	Level 2	Level 1
0	<	17 < −	26 < −	35 − 53	− > 62	− > 71	>
3 mon	<	16 < −	25 < −	33 − 51	− > 60	− > 68	>
6 mon	<	15 < −	23 < −	32 − 48	− > 57	− > 65	>
9 mon	<	14 < −	22 < −	30 − 46	− > 54	− > 62	>
12 mon	<	14 < −	22 < −	29 − 44	− > 52	− > 59	>
15 mon	<	14 < −	21 < −	28 − 42	− > 49	− > 56	>
18 mon	<	14 < −	20 < −	27 − 39	− > 46	− > 52	>
21 mon	<	14 < −	20 < −	26 − 37	− > 43	− > 49	>
24 mon	<	14 < −	19 < −	25 − 35	− > 40	− > 45	>
3 yr	<	14 < −	18 < −	22 − 30	− > 34	− > 38	>
4	<	15 < −	18 < −	21 − 24	− > 30	− > 33	>
5	<	15 < −	18 < −	20 − 23	− > 28	− > 31	>
6	<	15 < −	17 < −	19 − 22	− > 27	− > 29	>
7	<	14 < −	16 < −	19 − 21	− > 26	− > 28	>
8	<	13 < −	16 < −	18 − 20	− > 25	− > 27	>
9	<	13 < −	15 < −	17 − 20	− > 24	− > 27	>
10	<	12 < −	15 < −	17 − 19	− > 24	− > 26	>
11	<	12 < −	14 < −	16 − 19	− > 24	− > 26	>
12	<	11 < −	14 < −	16 − 18	− > 23	− > 26	>
13	<	11 < −	13 < −	16 − 18	− > 23	− > 25	>
14	<	10 < −	13 < −	15 − 17	− > 22	− > 25	>
15	<	10 < −	12 < −	15 − 17	− > 22	− > 24	>
16	<	9 < −	12 < −	14 − 16	− > 21	− > 24	>
17	<	9 < −	11 < −	13 − 16	− > 21	− > 23	>
18	<	9 < −	11 < −	13 − 15	− > 20	− > 22	>

CTAS Respiratory Rate Age 2–18

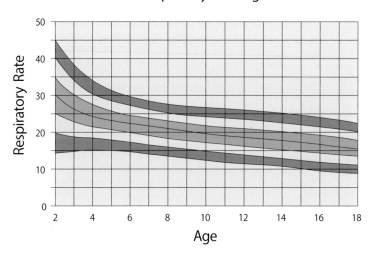

CTAS Respiratory Rate Age 0–2

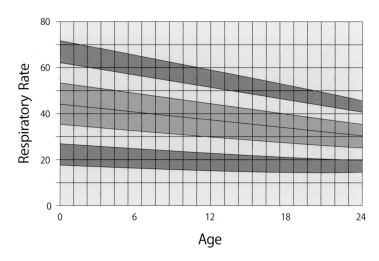

Reference : Susannah Fleming, Matthew Thompson, Richard Stevens, Carl Heneghan. Normal ranges of heart rate and respira-tory rate in children from birth to 18 years of age : a systematic review of observational studies. The Lancet. Mar19–25,2011. Vol.377,Issue 9770; pg.1011–1019.

Heart Rate

Age	Level 1	Level 2	Level 3	Level 4 & 5	Level 3	Level 2	Level 1
0	<	79 < −	95 < −	111 − 143	− > 159	− > 175	>
3 mon	<	95 < −	111 < −	127 − 158	− > 173	− > 189	>
6 mon	<	91 < −	106 < −	121 − 152	− > 167	− > 183	>
9 mon	<	86 < −	101 < −	116 − 145	− > 160	− > 175	>
12 mon	<	83 < −	97 < −	111 − 140	− > 155	− > 169	>
15 mon	<	79 < −	94 < −	108 − 137	− > 152	− > 166	>
18 mon	<	76 < −	90 < −	105 − 134	− > 148	− > 163	>
21 mon	<	73 < −	87 < −	102 − 131	− > 145	− > 159	>
24 mon	<	71 < −	85 < −	99 − 128	− > 142	− > 156	>
3 yr	<	64 < −	78 < −	92 − 120	− > 135	− > 149	>
4	<	59 < −	73 < −	88 − 116	− > 130	− > 144	>
5	<	56 < −	70 < −	84 − 112	− > 126	− > 140	>
6	<	53 < −	67 < −	81 − 109	− > 123	− > 136	>
7	<	50 < −	64 < −	78 − 105	− > 119	− > 133	>
8	<	47 < −	61 < −	75 − 102	− > 116	− > 129	>
9	<	45 < −	59 < −	72 − 99	− > 113	− > 126	>
10	<	43 < −	57 < −	70 − 97	− > 110	− > 124	>
11	<	42 < −	55 < −	68 − 95	− > 108	− > 122	>
12	<	40 < −	53 < −	67 − 93	− > 106	− > 120	>
13	<	39 < −	52 < −	65 − 92	− > 105	− > 118	>
14	<	37 < −	51 < −	64 − 90	− > 103	− > 116	>
15	<	36 < −	49 < −	62 − 89	− > 102	− > 115	>
16	<	35 < −	48 < −	61 − 87	− > 100	− > 113	>
17	<	34 < −	47 < −	60 − 86	− > 99	− > 112	>
18	<	33 < −	45 < −	58 − 85	− > 97	− > 110	>

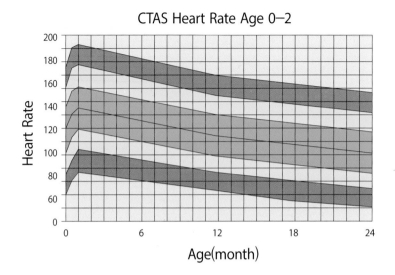

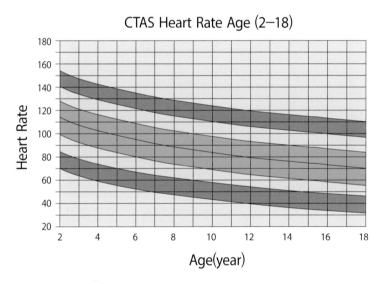

Reference : Susannah Fleming, Matthew Thompson, Richard Stevens, Carl Heneghan. Normal ranges of heart rate and respira-
tory rate in children from birth to 18 years of age : a systematic review of observational studies. The Lancet. Mar19–25,2011.
Vol.377,Issue 9770; pg.1011–1019.

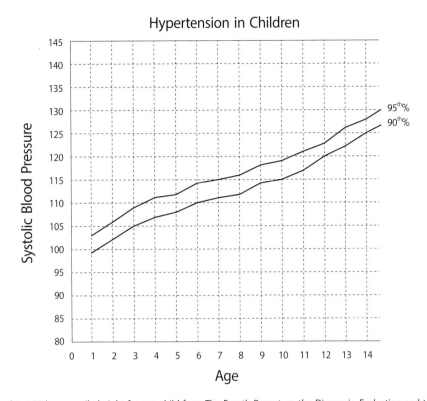

Hypertension in Children

Referenced to : 50th percentile height for age child from The Fourth Report on the Diagnosis, Evaluation and treatment of High Blood Pressure I Children and Adolescents. Pediatrics 2004;114 : 555–576.

Borderline Hypertension = 90th percentile for age Hypertension
= 95th percentile for age

KTAS 2nd Edition

한국형 응급환자 분류도구
– 제공자 교육 매뉴얼

둘째판 1쇄 인쇄 | 2021년 3월 15일
둘째판 1쇄 발행 | 2021년 3월 22일
둘째판 2쇄 발행 | 2022년 4월 15일
둘째판 3쇄 발행 | 2022년 8월 26일
둘째판 4쇄 발행 | 2023년 3월 15일
둘째판 5쇄 발행 | 2023년 6월 14일
둘째판 6쇄 발행 | 2023년 6월 30일
둘째판 7쇄 발행 | 2023년 8월 22일
둘째판 8쇄 발행 | 2023년 10월 13일
둘째판 9쇄 발행 | 2024년 2월 5일
둘째판 10쇄 발행 | 2024년 3월 29일
둘째판 11쇄 발행 | 2024년 7월 15일
둘째판 12쇄 발행 | 2024년 10월 7일
둘째판 13쇄 발행 | 2024년 11월 28일

지 은 이 대한응급의학회 KTAS 위원회
발 행 인 장주연
출 판 기 획 최준호
책 임 편 집 권혜지
편집디자인 최정미
표지디자인 김재욱
발 행 처 군자출판사(주)
　　　　　등록 제 4-139호(1991. 6. 24)
　　　　　본사 (10881) **파주출판단지** 경기도 파주시 회동길 338(서패동 474-1)
　　　　　Tel. (031) 943-1888 Fax. (031) 955-9545

ⓒ 2024년, KTAS 한국형 응급환자 분류도구 / 군자출판사(주)
본서는 저자와의 계약에 의해 군자출판사(주)서 발행합니다.
본서의 내용 일부 혹은 전부를 무단으로 복제하는 것은 법으로 금지되어 있습니다.
www.koonja.co.kr

ISBN 979-11-5955-682-1
정가 15,000원